みんなが知りたい!

地球のしくみと環境問題

地球で起きていることがわかる本

増補改訂版

北原義昭 菅澤紀生●監修

Mates-Publishing

はじめに

1961年、旧ソ連の軍人ガガーリンが世界初の宇宙飛行をし、彼の言葉「地球は青かった」が世界中に広まりました。

しかし正確に言うと、宇宙から見た地球ではなく青空を見ていった言葉なのです。青空は空に青い色がついているのではなく、太陽からきた無色の光が空気で散乱され、青い光だけが地表に届くためにおきる現象なのです。

夕方太陽が傾いて、光が地表に届くまで空気を長く通ると青い光は消え、赤い光だけが届き真っ赤な夕焼けがおこるのです。単なる光の性質なのに、地球は青いという錯覚が世界中に広まりました。

さらに青い色から地球はクリーン・清浄というイメージが膨らみました。でも、私は青い空と青い海が地球の顔だと信じています。

海は、生命の起源で、青空から降り注ぐ太陽の恵みが大地と動物・植物を育みました。青い地球を守りたい、青い空と海を守りたい。しかし現実は、人間だけが二つの大切な青を破壊し続けています。

このままでは二つの美しい青色は地球から消えてしまい、地球は死の星になる。そうしないために友人たちと、「自分にできることで青い地球を守る会」を立ち上げました。

講演やセミナー講師の私にできることは、「もったいない」をスローガンにして、二つの青を守る小さな活動をしていくことです。読者の皆さんもこの本を参考に自分でできる二つの青を守る活動をやってみてください。

好き嫌い無く食べる、食べたら「ごちそうさま」と感謝の気持ち、そして毎日かかわったまわりの人に「ありがとう」という感謝の気持ち…二つの青色を次の世代の人たちに笑顔で引き継ぎましょう。

「自分にできることで青い地球を守る会」発起人
コミュニケーション・デザイン研究所　心理カウンセラー　北原 義昭

みんなが知りたい！「地球のしくみ」と「環境問題」
地球で起きていることがわかる本 増補改訂版

※本書は2010年発行の『みんなが知りたい！ 地球と環境がわかる本』を元に加筆・修正を行っています。

第3章 温暖化の影響を考えよう!

第4章 温暖化以外の問題も!

第5章 地球の力を有効利用!

第6章 みんなの努力で守る地球

第1章

地球ってどんな星？

地球はいつ、どこでどうして生まれたのか？

地球のトシは、なんと46億歳！

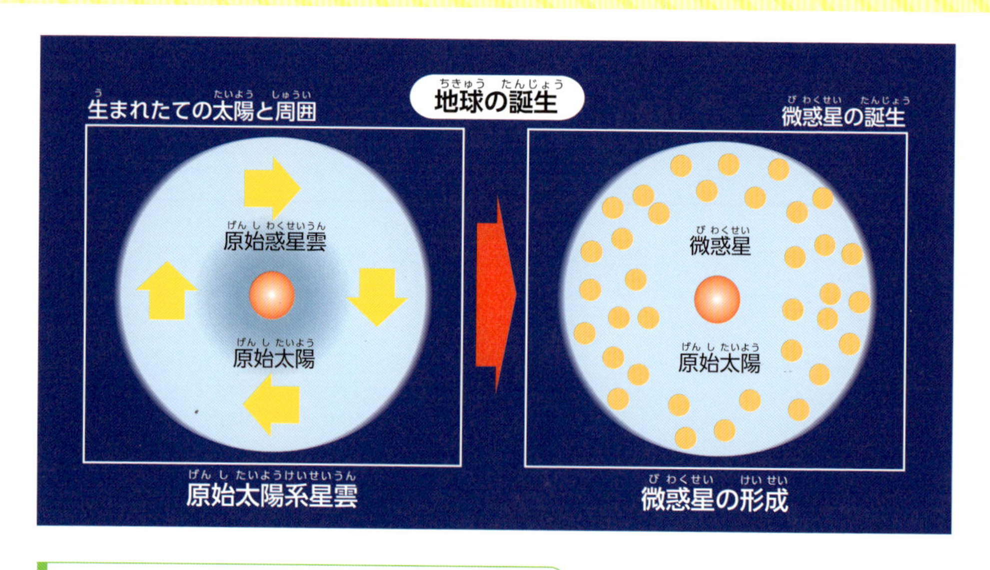

まずはじめに恒星の太陽ができた！

地球が誕生して、どれくらいの時間が経っているか、皆さんは知っていますか？地球は太陽や火星とともに、46億年前に生まれたといわれています。最初に生まれたのが太陽。太陽は宇宙にただようガスやチリ（星間雲）が集まってちぢみ、こくなった中心部に恒星※である原始太陽（太陽の卵）ができました。生まれたばかりの太陽は、日頃私たちが目にする太陽の10倍くらいの大きさだったと考えられています。

ワンポイント講座

恒星／夜空に輝いている星のほとんどは恒星と呼ばれる「太陽」と同じ星です。恒星はその星を作っているガスなどを燃料にして光り輝きます。

地球NEWS

地球は英語で「アース」といいます。そのほか、ラテン語で「テラ」、ギリシア語で「ガイア」などとも呼ばれますが、どちらも「大地の女神」を意味しています。

太陽の後に地球が生まれた！

太陽が生まれた後、太陽のまわりに円ばん状のガスのうずが発生し、ガスの温度が下がってくると、今度は直径10kmほどの無数の岩のような微惑星ができます。その微惑星同士が衝突と合体をくり返して原始惑星となり、さらに微惑星とぶつかって次第に大きな惑星に成長していったのです。地球もたくさんの微惑星や彗星が衝突して誕生しました。そのほかにも大きな7つの惑星と、それを取り巻く衛星や彗星が誕生し、現在のような太陽を中心とした太陽系ができました。

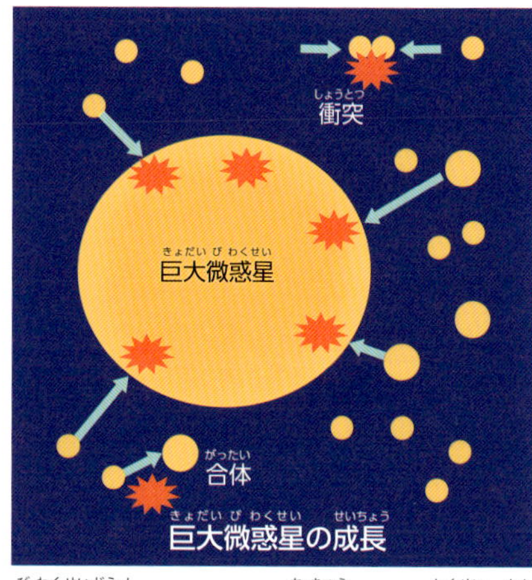

微惑星同士がぶつかって地球やほかの惑星が誕生しました

どうして地球の年齢がわかるのかな？

地球の年齢は46億年ぐらいであるといわれていますが、1950年代以前では30億年くらいとされていました。では、人間がまだ存在しなかったそんな昔のことをどうやって予測できたのでしょうか？それは放射性元素年代測定法という技術で、地球でもっとも古いと考えられる岩石や月の石※の年代を調べた結果、46億年くらい前と判明したのです。古い隕石の研究や今後の宇宙開発でもっと具体的な数字がわかるかもしれません。

CHECK!

ワンポイント講座

月の石／現在、地球にはアメリカのアポロ計画、旧ソ連（ロシア）のルナ計画、隕石として地上に落ちてきた物の3タイプの石があり、国内では1970年に開催された大阪万博で初展示されました。

地球NEWS
太陽系に属する地球。その太陽系の年齢もまた、隕石の年代測定に基づいているので、地球は太陽系の誕生とほぼ同時に生まれたと考えられています。

天の川銀河の端に位置するボクらの太陽系

地球は太陽系の一員

惑星の種類は大きく2つにわけられる!

太陽系とは太陽を中心として惑星や衛星、小惑星、彗星、そしてガスやチリなどでできた天体の集まりのことをいいます。私たちの太陽系は地球を含む8つの惑星からなっています。太陽から近い順に番号が付けられており、地球は太陽から3番目の惑星です。星には恒星と惑星があり、恒星は水素などのガスでできていますが、惑星には岩石でできた**地球型惑星**※とガスでできた**木星型惑星**※の2種類があります。

ワンポイント講座

地球型惑星と木星型惑星／太陽系では水星、金星、地球、火星は地球型惑星。木星、土星、天王星、海王星は木星型惑星です。

地球NEWS 太陽系から1.5光年先には、オールトの雲という彗星が集まっている場所があり、そこが太陽系の端と考えられています。

太陽系をさらに大きく観測すると…

私たちの太陽系の位置を考えてみましょう。宇宙には数多くの恒星が集合した銀河と呼ばれるものがあり、太陽系は「天の川銀河」の中にあります。太陽系は太陽重力という大きな力によって構成された天体の集団で、太陽がその中心となっています。太陽系は銀河系の中心から25,000～28,000光年ほどの位置にあると考えられています。太陽系は約220km／sの速度で銀河系を回っていて、約2億2600万年で銀河系内を1公転しています。地球のように生命がいる惑星※も、まだほかにあるかもしれませんね。

天の川銀河想像図

CHECK! ワンポイント講座

惑星／太陽から見て、地球は3番目に位置する惑星です。地球から太陽までの距離は1億4,960万kmあり、人の歩く早さは1時間に4～5kmといわれていますから、地球から人が歩いていくと約155万8333日かかる計算になります。

地球NEWS 冥王星はかつて惑星と定義されていました。しかし現在は、海王星の軌道の外側を回っていることからケレスやエリスと同じく準惑星になり、太陽系外縁天体と呼ばれています。

第2章 第3章 第4章 第5章 第6章

第1章
地球ってどんな星？

私たちが踏みしめている大地の下に迫る！

地球の中はどうなっているの？

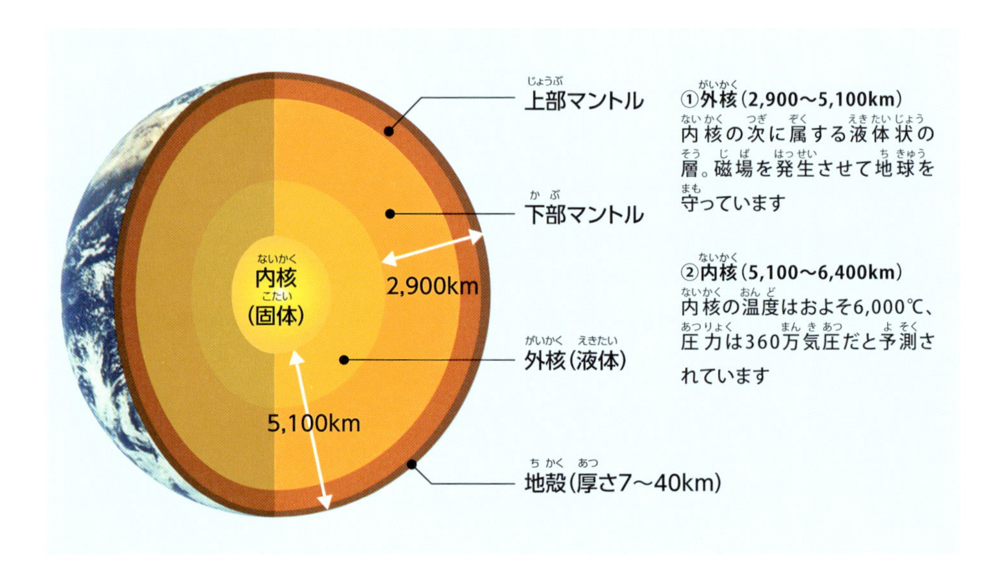

地球の中はどうなっているの？

地震波解析によると、地球は外側から岩石質の地殻、岩石質の粘弾性体であるマントル、金属質の外核・内核という4つの構造にわけられています。外核と内核は鉄やニッケルなどと同じ金属質ですが、内核は固体でできているのに対し、外核は液体状と状態が異なっています。内核は外核の金属が冷えて固まったもので、今でも成長を続けていると考えられています。外核の金属流体は対流や地球の自転によって動くため、電流が生じます。さらに、この電流により磁場が生じると推測されています。このように、地球の力学的な運動と結びついた磁場発生と維持機構を、ダイナモ機構といいます。

地球NEWS 地球の中とともに、地表面の外側も知っておきましょう。地表面の70%は水(海)で、地表から上空約100kmまでは窒素、酸素を主成分とする大気となっています。

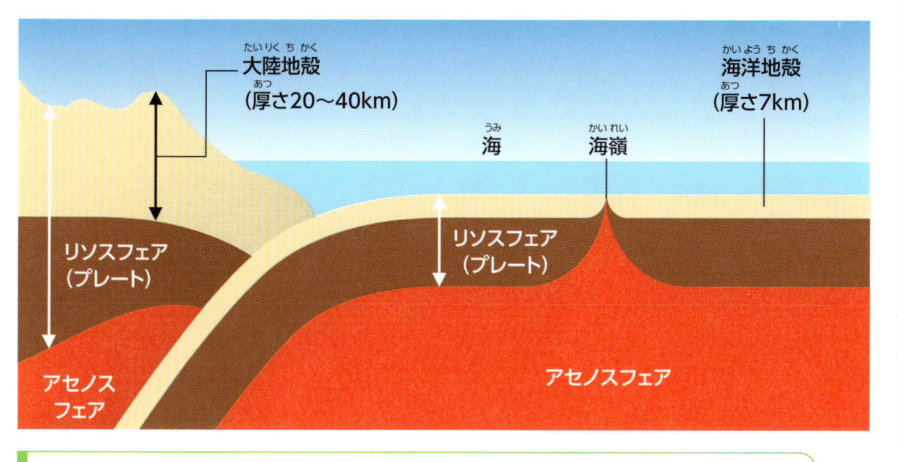

核の外側にマントル、さらに外側を地殻がおおっている

内核と外核をおおうのがマントル※という重い岩石の層です。上下2層にわかれたマントルは、地球の体積の83%、質量の67%をしめています。上部はカンラン石またはパイロライトという岩石で造られていると考えられています。カンラン石は黄緑色をした石で、特にきれいなものは8月の誕生石であるペリドットという宝石になります。下部は輝石という石に近い組成をしていると考えられています。

地球のもっとも外側、マントルをおおっているのが地殻です。地殻は大陸地殻と海洋地殻に分類されており、花崗岩という岩でできた大陸地殻は厚さが20〜40㎞もあります。海洋地殻はおよそ7㎞で、こちらは玄武岩という岩でできています。地震のほとんどは、大陸地殻や海洋地殻で起こっています。さらに地殻表面は、プレート運動による造山活動※や火山活動、または大気や水などによる風化や浸食、堆積などによってそれぞれ違う構造になっています。

CHECK! **ワンポイント講座**

マントル/地球のマントルと地殻の境界は、発見者の名前から「モホロビチッチ不連続面(略称モホ面)」と呼ばれています。

造山活動/大山脈や弧状列島(列状になった島々のこと)を形成するような地殻変動のことをあらわします。

地球NEWS 大陸地殻の一番高いところはエベレスト、海洋地殻の一番深いところは西大平洋のマリアナ海溝にあるチャレンジャー海淵です。

第1章 地球ってどんな星？

地球の地面が年間少しずつ動いている

なんで地震は起きるの？突然海に島ができるのは何故？

プレートの動きで地震が起こります

地球の表面をおおうプレート（岩盤）の内、海のプレートは年間数cmの速さで移動し、海のプレートは陸のプレートより重いためその下に入り込みます。その圧力によってプレートにひずみ（負荷）がかかり、それが限界に達し、亀裂が入ったり大きく動いたりするのが地震という現象です。地震が起こると負荷はいったん解放されますが、プレートの動きは一定なので地震は繰り返し発生します。地震には海と陸のプレート境界で起こる「プレート境界型地震」と、陸のプレート内の弱い場所である活断層がずれて起こる「直下型地震」があります。日本列島は、海と陸の4枚のプレート境界に位置するため、世界でも有数の地震が多い国なのです。

プレート境界型地震が発生する仕組み

（出典・船橋市 こどもホームページ）

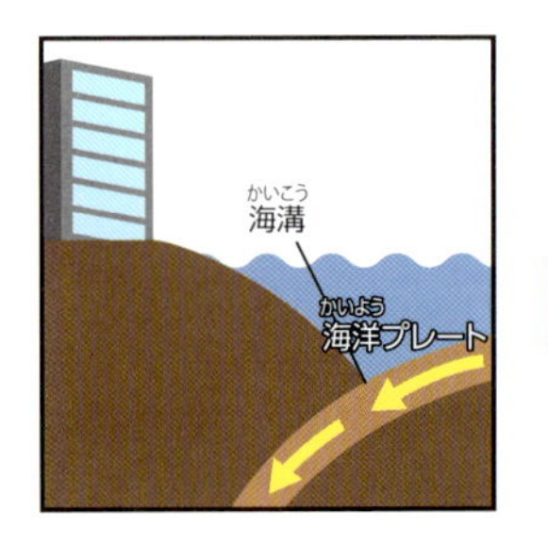

海洋プレートが陸のプレートの下に沈み込みます

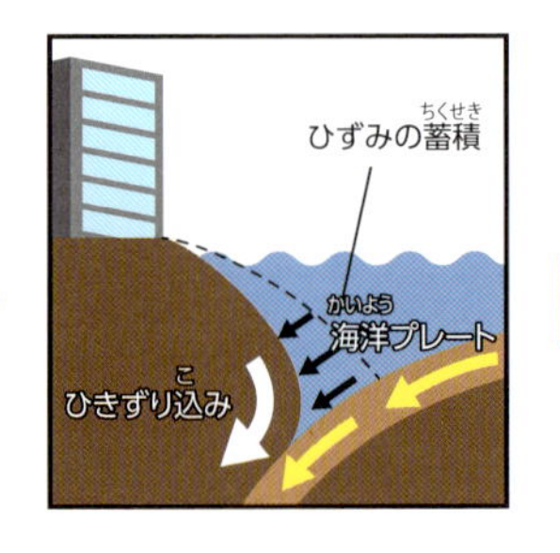

陸のプレートの先たんが引きずり込まれてひずみが蓄積します

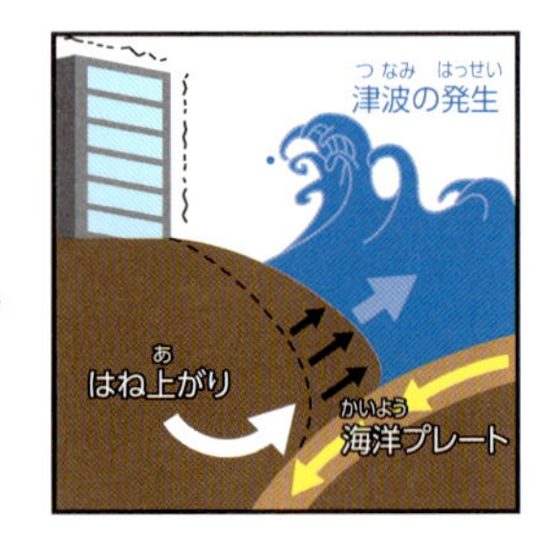

ひずみが元に戻ろうとして地震が発生。津波をともなう場合もあります

地震の多い日本では、建物が地震のゆれで壊れないように「耐震基準」という建物を建てる際のルールが定められています。

海底火山から島が生まれる

大きな大陸から離れて存在している「島」。島にはプレートの動きによる大陸移動の際に生まれた「小大陸」と、元は大陸の一部でしたが海面上昇などによって大陸から孤立した「陸島」、火山活動などによって生まれる「火山島」があります。日本列島や沖縄県のある琉球諸島はユーラシア大陸から孤立した陸島ですが、東京の小笠原諸島の一部は火山島で今も海底火山の爆発で島が誕生することがあります。しかし雨や風、波に削られて沈んでしまうことも多く、島として残ることは多くありません。

2013年、小笠原諸島の西乃島(左)の隣に誕生した新しい島(右)　(写真出展・海上保安庁)

2つの島が一つになった2022年の現在の西乃島　(写真出展・海上保安庁)

直下型地震が発生する仕組み

(出典・内閣府　防災情報のページ)

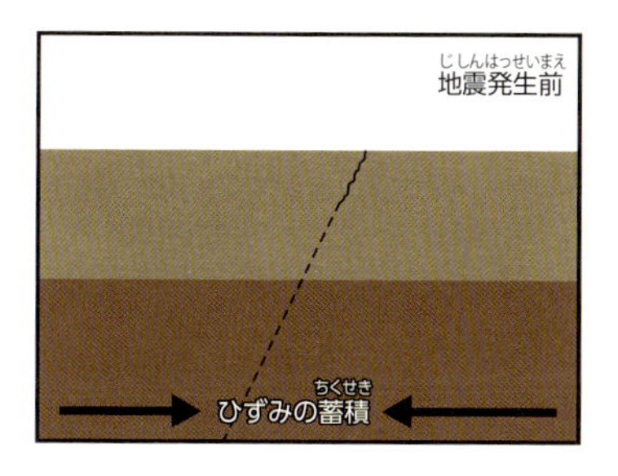

プレートの動きによる圧力がかかり、岩盤の弱い所にひずみが蓄積します

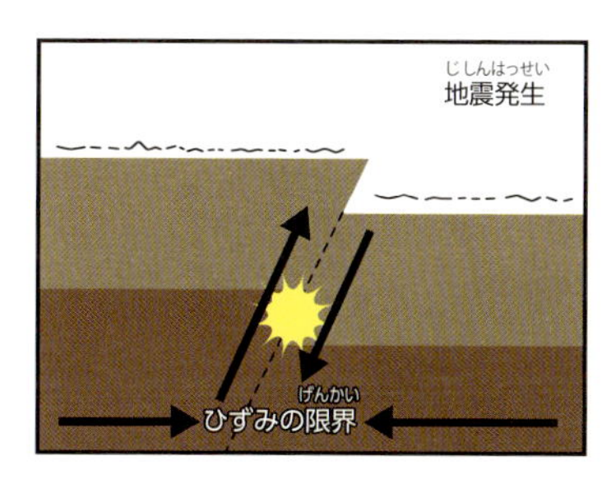

ひずみが限界に達すると弱いところ(活断層)がずれて、地震が発生します

地球NEWS 島の周りにサンゴが積み上がってつくられる「サンゴ礁」という島もあります。火山島に発生したサンゴ礁の場合、島が無くなった後も残り、環の形になるため環礁と呼ばれます。

第1章
地球ってどんな星？

水の惑星と呼ばれる地球の水は宇宙から来た？

ひと粒の水が雨となり海となった！

水はどこから来て、どうしてできたのか？

地球は水の惑星といわれています。その水はそもそもどこから来たのでしょうか。生まれたばかりの原始地球は数多くの微惑星が次々に衝突して合体し、だんだん大きくなっていきました。ぶつかって来た中の微惑星の一つに、**水の成分※**があったと考えられます。衝突してきた微惑星の中に含まれていた水の成分は、水蒸気になって上空に昇り、雲になりました。やがて気温が100度以下になると、大雨になり地表に降り注ぎ、今のような大きな海ができたのです。

CHECK! ワンポイント講座

水の成分／水は液体の時は「水」、固体の時は「氷」、気体の時は「水蒸気」に姿を変えます。

地形を最も変化させたのは氷河です。
地球の温度が上がることで、大量の氷河が溶け、地表を削りました。

地球に海が誕生した！

地球に雨が降り始めたのは43億年前のこと。最初の雨は1000年ほど降り続いたと考えられています。雨の勢いはとても強く、地表を削り取ってやがて海※を生み出しました。また当時の大気はメタン、アンモニア、二酸化炭素などで、その成分が溶け込んだ雨によってつくられた海は「酸性」で、とても生物が住めるような環境ではありませんでした。しかし、地表のカルシウムや鉄、ナトリウムなどをだんだん溶かし、現在のような「中性」の海水になりました。そして海は最初の生命を育むゆりかごになるのです。

CHECK! ワンポイント講座

海／地球をおおう水蒸気が冷えて雲となり、雨になって地上に降り注ぎました。その時、地表の岩に含まれている鉱物や塩分などを溶かして海ができました。そのため海水は塩辛くなったといわれています。

水の成分を含んだ微惑星によって、地表がだんだんと冷え、雲が下がってきました ▶ やがて大雨が降り、地表の形を変えていきました ▶ こうして大きな海ができたのです

地球NEWS 微惑星は太陽系ができるときに、そのもととなったガスやちりが岩になったもの。隕石も同じ性質です。

第1章
地球ってどんな星？

大陸は火山活動などで、今も移動を続けています

大陸は大昔から、引っ越ししていた？

移動をくり返し、形をつくってきた大陸

海の次は、私たちの住む大陸について考えてみましょう。大陸ができたのは原始地球ができて2億年たったころから5〜6億年かけてできたといわれています。約26億年前から大きな火山活動が続き、噴火によって飛び出した火山灰などで太陽光線がさえぎられ、地球は冷えて氷の世界になりました。そのころ、地球は「パンゲア大陸」という一つの大陸だったと考えられています。盛んな火山活動などによってパンゲア大陸は再び移動をはじめ、現在のようにいくつかの陸地にわかれたといわれています。大陸が移動した理由としては、海洋底というプレート（海の底の大地）の移動が要因と考えられています。地球には10数枚の大きな海洋底があり、その上に大陸があります。海洋底の下にはマントルという重い岩石の層があり、それが海嶺から噴き出して海洋底を造ることで、大陸は1年に数cmという速度で移動します。海洋底は次々と造られ、そして海溝と呼ばれる場所から沈んでいくという仕組みです。地球上では、この動きが今も起こっています。

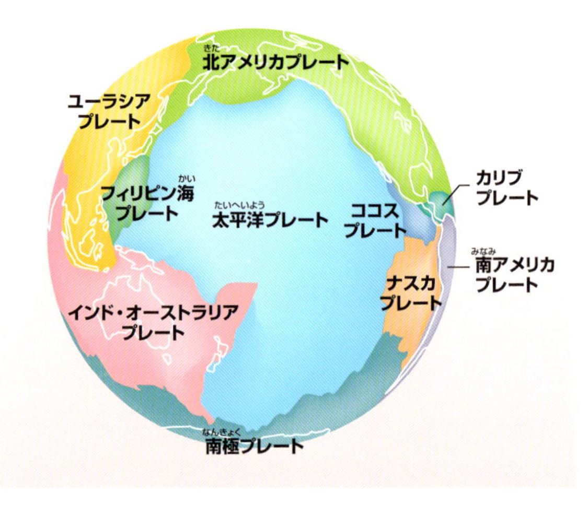

地球NEWS
オーストラリアは北に向かって、ハワイは西に向かって移動しています。どちらも5000万年後には日本の近くまで移動してくると予測されています。

大陸移動の想像図

大陸は何億年という長い年月をかけ移動しくっついたり離れたりしています。

▼5億1400万年前／古生代カンブリア紀

多くの動物が海の中に現れました。そのころ、現在の南極の近くにゴンドワナ大陸という大きな大陸がありました

▼3億9000万年前／古生代デボン紀

赤道のあたりには森が茂っていました。このころから大陸が一つにまとまりはじめました

▼3億600万年前／古生代石炭紀

大陸はパンゲアという一つの大きな大陸にまとまろうとしていました。南極付近は氷におおわれていました

▼1億9500万年前／中生代ジュラ紀

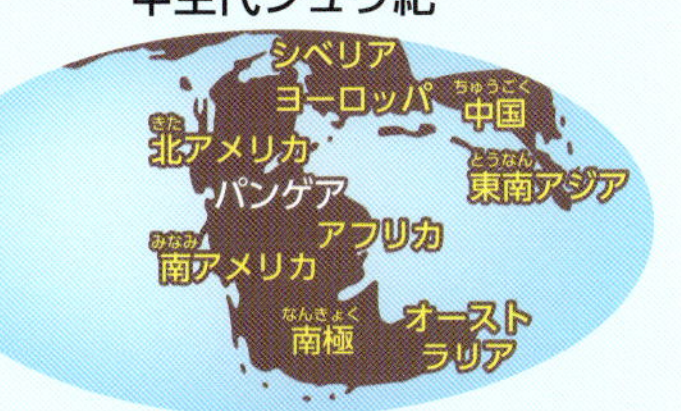

大陸が一つにまとまってパンゲア大陸ができました。これが2億5000万年前のことで、2億2000万年前になると、再び分裂をはじめます

▼9400万年前／中生代白亜紀

アフリカ、オーストラリアがアジアの方へ引き寄せられます。インドはアジアに向かって北上。これがやがてアジアにぶつかり、ヒマラヤ山脈が生まれます

▼現在

プレートは今も活発に運動を続けており、大陸も少しずつ動き続けています

地球NEWS 現在の大陸はパンゲア大陸のどの位置にあたるのか、さまざまな説があり、くわしいことはわかっていません。

はるか大昔の地球のことを知ろう！

第1章 地球ってどんな星？

地球には年代ごとに名前が付けられている

地球の歴史は先カンブリア時代から

地球が誕生して約46億年。化石や岩石の研究から、はるか昔のことが少しずつわかってきました。しかし、古生代より前のことは、発見される化石が少ないので詳しいことはわかっていません。一般的に古生代より前の時代をまとめて「先カンブリア時代」といっていますが、その時代はさらに「冥王代」「始生代※」「原生代」の3つにわけられています。

ワンポイント講座

始生代／先カンブリア時代は冥王代、始生代、原生代の順です。始生代は、太古代と呼ばれることもあります。

46億年前 ／ 5億4100万年前

先カンブリア時代（46億年～5億4200万年前）			顕生代（5億4200万年前～現代）			
			古生代			
冥王代	始生代	原生代	カンブリア紀	オルドビス紀	シルル紀	デボン紀
地球の誕生、やがて海ができる	40億年前 原子生命が誕生する	25億年前 超大陸「ヌーナ大陸」が出現（19億年前） 氷河期（6～8億年前）	バージェス動物群が出現（5億3000万年前）	4.85億年前 魚類が現れる	4.44億年前 陸上に生物が出現する	4.19億年前
						3.59億年前

地球NEWS 約7000万年前、インド亜大陸とユーラシア大陸が衝突したことにより、約2500万年前からヒマラヤ山脈の形成がはじまったと考えられています。

地球の基礎を作った時代

冥王代は地球が誕生した時代で、地殻と海が作られ、最初の生命が誕生したと考えられています。地球が形成されていった時代のため、化石や当時の岩石がほとんど発見されていないので、地質学的な証拠が少ないといわれています。始生代の初期には、全生物最初の共通祖先が現れ、さらには**細菌と古細菌**※の祖先が誕生したといわれています。原生代になると、ランソウの出現によって大気中に酸素の放出がはじまり、オゾン層ができて紫外線がシャットアウトされました。また、後期には多細胞生物が出現しました。このようにして、地球はだんだんと現在の形に近づいていったのです。先カンブリア時代が終わり、古生代に入るとカンブリア紀を経て、魚類が誕生します。その魚類の一種が陸上に上がって両生類になり、そこからは虫類、恐竜、鳥の祖先である竜弓類とほ乳類の祖先である単弓類が生まれました。

CHECK! ワンポイント講座

細菌と古細菌／細菌（バクテリア）と古細菌（アーキア）は原核生物とも呼ばれています。細胞核を持つ真核生物は古細菌から枝分かれしたと考えられています。

2億5190万年前　　**6600万年前**　　**現在**

		中生代			新生代		
石炭紀	ペルム紀	三畳紀	ジュラ紀	白亜紀	古第三紀	新第三紀	第四紀

- は虫類と哺乳類の祖先が誕生
- ▲2.99億年前
- 生物の大量絶滅
- ●恐竜の出現
- ●パンゲア大陸の分裂
- ▲2億年前
- ▲1.45億年前
- 落下による生物の大絶滅
- ●巨大隕石の
- ●霊長類の誕生
- ▲2300万年前
- (500万年前)
- 人類が現れる
- ▲258万年前

中生代（約2億5190万年前～約6600万年前）
※大陸移動/約1万3000年前、大陸から日本列島が完全に離れてしまい、今の形になったといわれています。日本固有の歴史はここからスタートしたといえるでしょう

新生代（約6600万年前～現代）
※ヒト（人類）による文明が発生したのは紀元前3000年（約5000年前）ごろとされています。そのころ、古代エジプト文明やメソポタミア文明が現れました

地球NEWS　約6600万年前、隕石の落下が恐竜など多くの生物の絶滅を引き起こしました。その隕石の直径は10kmほどもあったと考えられ、その跡が今もメキシコのユカタン半島に残っています。

単細胞生物から進化を遂げた生命の歴史

第1章
地球ってどんな星？

ボクらの先祖は海から生まれた

生物が誕生した頃の地球

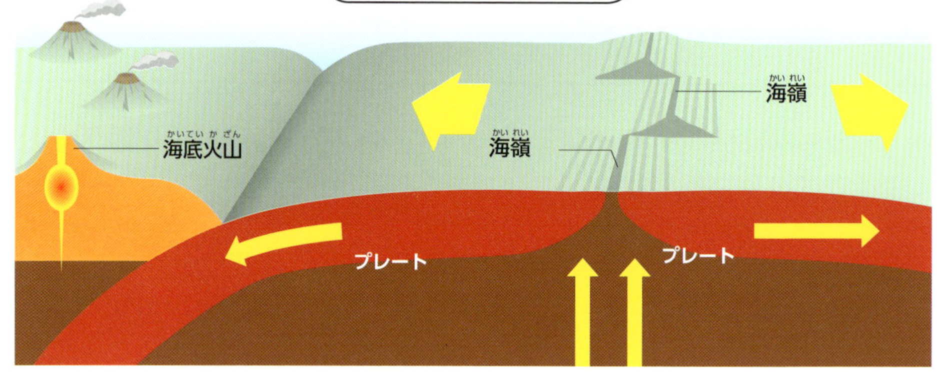

海水の温度が下がり生物が生まれた

水の惑星と呼ばれる地球。そこで生命はどのように誕生したのでしょうか？　生命の誕生の時を迎えた40億年前、地球の大気は二酸化炭素がほとんどでした。地表の温度も今の金星と同じように高温で、生命が住めるような環境ではなかったのです。しかし、海ができると大気中の二酸化炭素は海の水に溶け、底の方で石灰岩となりました。大気中の二酸化炭素が薄くなると、地表の温度は下がり、海水の温度も100度以下となり、海の中にバクテリア(細菌)※と呼ばれる小さな生物が誕生しました。

CHECK!

ワンポイント講座

バクテリア(細菌)／真正細菌とも呼ばれています。バクテリアの中には酸素を必要としないものもたくさんあり、地球で最初の生物は酸素のないところで誕生したと考えられています。

地球NEWS 現在の東太平洋海嶺の熱水噴き出し口は数千メートルの深海にあり、溶けたミネラルを含んだ350度以上の熱水を噴き出しています。

深海に生まれた最初の生物

最初の生物は深海で生まれたという説があります。海底から噴き出すマグマによって、プレート（巨大な岩盤）が作られるようになりました。プレートが造られる場所は「海嶺」と呼ばれるところで、そこから硫化水素などのミネラルを多量に含んだ熱水が噴き出しています。また、その頃宇宙からは、危険な放射線がたくさん降り注いでいたので、生物は深い海の中でしか、生きることができなかったのです。それで最初の生物は深海の熱水の噴き出し口近くで生まれたという説が有力となっているのです。

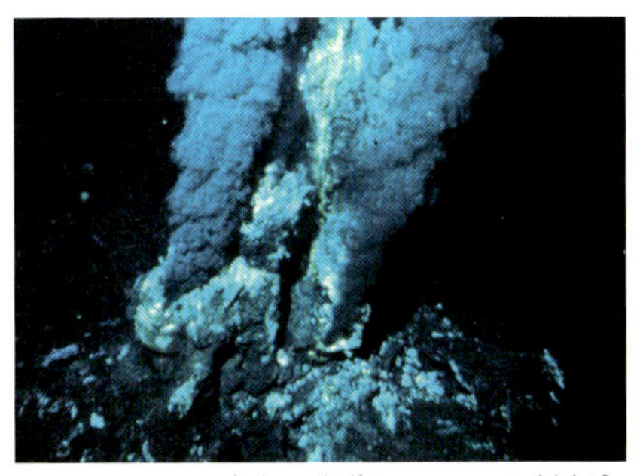

バクテリアなどの最初の生物はこのような環境で生まれたといわれています

生物は進化し、酸素を作り出した！

地球に最初に生まれたのはバクテリア。深海の酸素のないところで生活していた細菌の仲間で、体は一つの細胞だけでできている、いわゆる単細胞生物です。27億年前、浅い海に太陽の光を利用して光合成を行い、酸素を出すランソウ（シアノバクテリア）という生物が誕生すると、やがて地球に酸素が増えていったのです。酸素は有害な太陽や宇宙から降り注ぐ放射線をさえぎるオゾン層を作りました。酸素のないところで生息していた生物にとっては、酸素は毒になります。海の中に酸素が増えていき、多くの生物が滅びましたが、やがて酸素を取り込んで呼吸する生物が現れました。なかには、光合成や呼吸を得意としていた別々の単細胞生物が一つの細胞に入り込み、新しい環境に適応するために進化した生物もあります。こうして、細胞の中に核を持つ真核生物（最初の植物）が生まれたと考えられています。

地球NEWS シアノバクテリアが作り出した酸素は海から大気中へあふれ出し、大気中の二酸化炭素は酸素と入れかわって、今私たちが呼吸している空気になりました。

体の仕組みが複雑になって、ボクらの先祖が生まれた!!

いろいろな生き物がゾクゾクと誕生！

地球に最初に生まれた生物

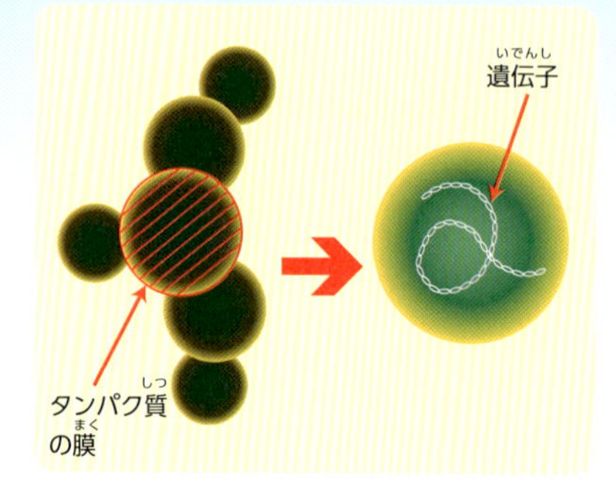

地球に最初にあらわれた生物は深海の酸素のない場所に生まれた細菌の仲間。膜に包まれたタンパク質の中に遺伝子ができています

最初に誕生した植物

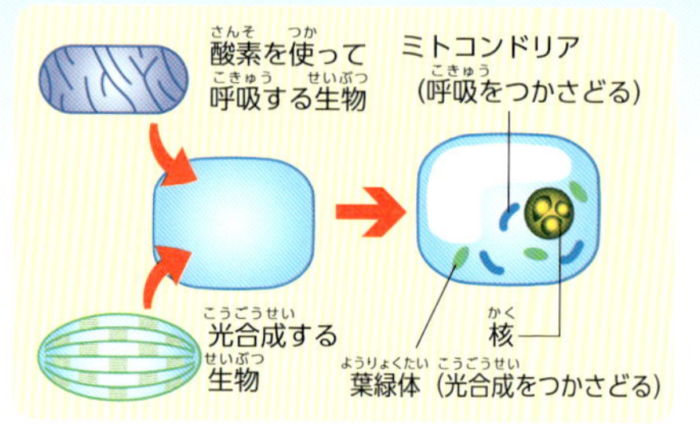

やがて、太陽の光を利用し光合成を行って酸素を作るシアノバクテリアが生まれます。今まで、酸素のないところで生息していた生物は、酸素が毒となり滅んでいきます。その中で進化して生き残った生物が真核生物という最初の植物です

単細胞生物から多細胞生物へ

38～40億年前の地球に誕生した生命。一つの細胞として生まれた単細胞生物は、より多くのエネルギーを使い、体を大型化させるため、体を維持する細胞と栄養の吸収、消化を行う細胞の2つに分化しました。そこから、筋肉や神経など、新しい組織が作られたため、単細胞生物の体の仕組みがだんだんと複雑になっていきました。細胞機能をわけた単細胞生物は、一つの細胞では徐々に生きて行けなくなっていったのです。そこで、10億年前に誕生したのが多細胞生物です。人間を含め、顕微鏡を使わなければ見えないような小さな生物以外は、多くの細胞からできている多細胞生物なのです。

バージェス動物群は進化の過程で姿を消しましたが、生き残ったものの中から新しい生物が進化しました。その中から後に脊椎動物が誕生しました。

植物でも動物でもない生物の誕生

約6億年前の先カンブリア時代に海の中で、エディアカラ生物群※といわれる数種の生物が繁栄しました。エアディカラはオーストラリアの地名。そこで見つかった化石からこの名が付けられました。この生物は体に骨や殻を持たず、やわらかくのっぺりとした姿で、大きいものはなんと体長1mもありました。動物とも植物ともいえない不思議な体のつくりを持つ、エディアカラ生物群は、生命が進化していく方向性を模索していた段階だったのかもしれません。

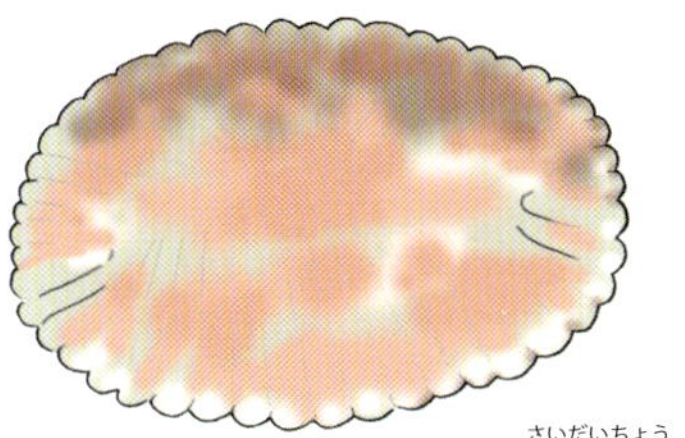
ディッキンソニア（最大長1m）

CHECK! ワンポイント講座

エディアカラ生物群／化石はオーストラリアだけでなく、カナダのニューファンドランド島やロシアの白海沿岸などでも発見されています。

カンブリア紀の大爆発！

約5億5000年前、それまで約 十数種類しかいなかった生物が突如1万種に増加。この時代には奇妙な形をした生物が多数現れ、地球はさながら生命の実験場という雰囲気でした。それらの生物はバージェス動物群※と呼ばれ、いろいろな体のつくりを持っていたため、外見的にも多様になっていきました。生物にとって最も重要な感覚器である「眼」を持つ生物が誕生したことで、食 物連鎖の流れが加速し、生物が多様な姿を持つようになったと考えられています。

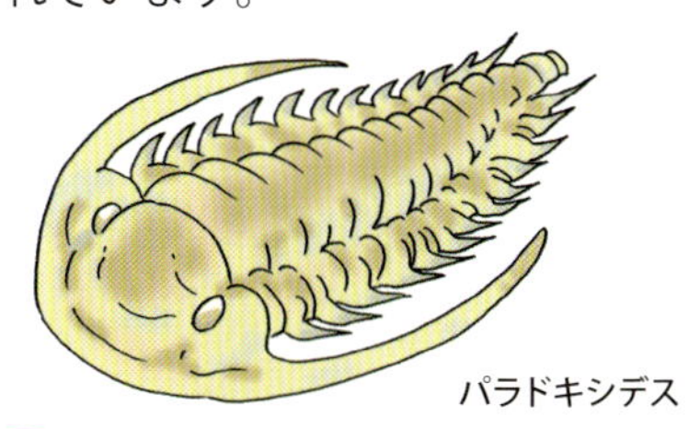
パラドキシデス

CHECK! ワンポイント講座

バージェス動物群／カナダのブリティッシュコロンビア州にあるバージェス頁岩の中から化石が見つかったことから、この名が付きました。

地球NEWS
古生代前半には魚類が誕生しました。最初の魚類はヒレもアゴもなく、今私たちが目にしている魚としては不完全な生物でした。

酸素からオゾン層が出現し、生物が陸に住めるようになった!!

ついに陸に上がった生き物たち

紫外線がさえぎられ、生命は陸に上がれるように

海の中で増えていった酸素はやがて大気中にも出てきました。約7億5000万年前ごろからは大気中の酸素も急速に増え、約5億年前には酸素からオゾン層が生まれました。それまでは、生命にとって危険な紫外線が地上に降り注いでいましたが、オゾン層の出現により、紫外線がさえぎられるようになりました。その結果、陸上に生物が住めるようになったのです。最初は植物※、続いて昆虫や両生類のような動物が陸に上がっていきました。

ワンポイント講座

植物／最初は藻類(真正生物)の仲間が河川沿いに陸地に進出し、5億年前ごろからコケ植物やシダ植物が登場しました。

地球上の生物にとって不可欠なオゾン層は地上から約10km～50kmほどの成層圏に多く存在し、特に地上20km～25kmの高さで最も密度が濃くなっています。

地上生活に適していった動物たち

約4億年前頃から、植物に続き昆虫類も地上へ進出しました。昆虫類は脊椎動物よりも約4000万年早く陸上に進出することができたといわれています。陸上の酸素が増え、植物が陸上に茂ると日陰や湿地ができました。魚類の中の数種はヒレを足に変え、空気中の酸素を取り入れ呼吸する肺を備えるものが現れました。これが両生類です。魚類から両生類に進化したのは約4億年前のこと。やがて両生類の**有羊膜類**※と呼ばれるグループからは虫類とほ乳類に分かれ、は虫類(恐竜)から鳥類が生まれました。

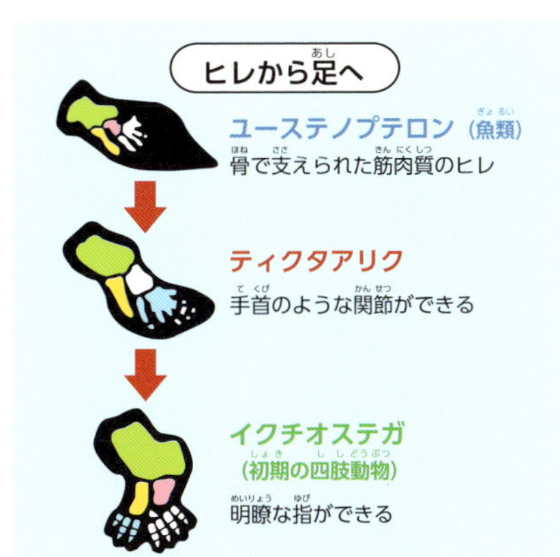

CHECK! ワンポイント講座

有羊膜類/両生類は体が乾燥に弱く卵も水中で産んでいました。有羊膜類は、からに包まれた卵を産むことでは虫類とほ乳類の先祖として繁栄しました。

地球NEWS 地球上で最初の両生類は、約3億6000万年前のデボン紀に登場した全長1mのイクチオステガ。魚と似ている部分を多く残していました。

火山噴火や巨大隕石の落下で、多くの生物が絶滅!!

第1章 地球ってどんな星?

気候が変わって、さぁ大変!

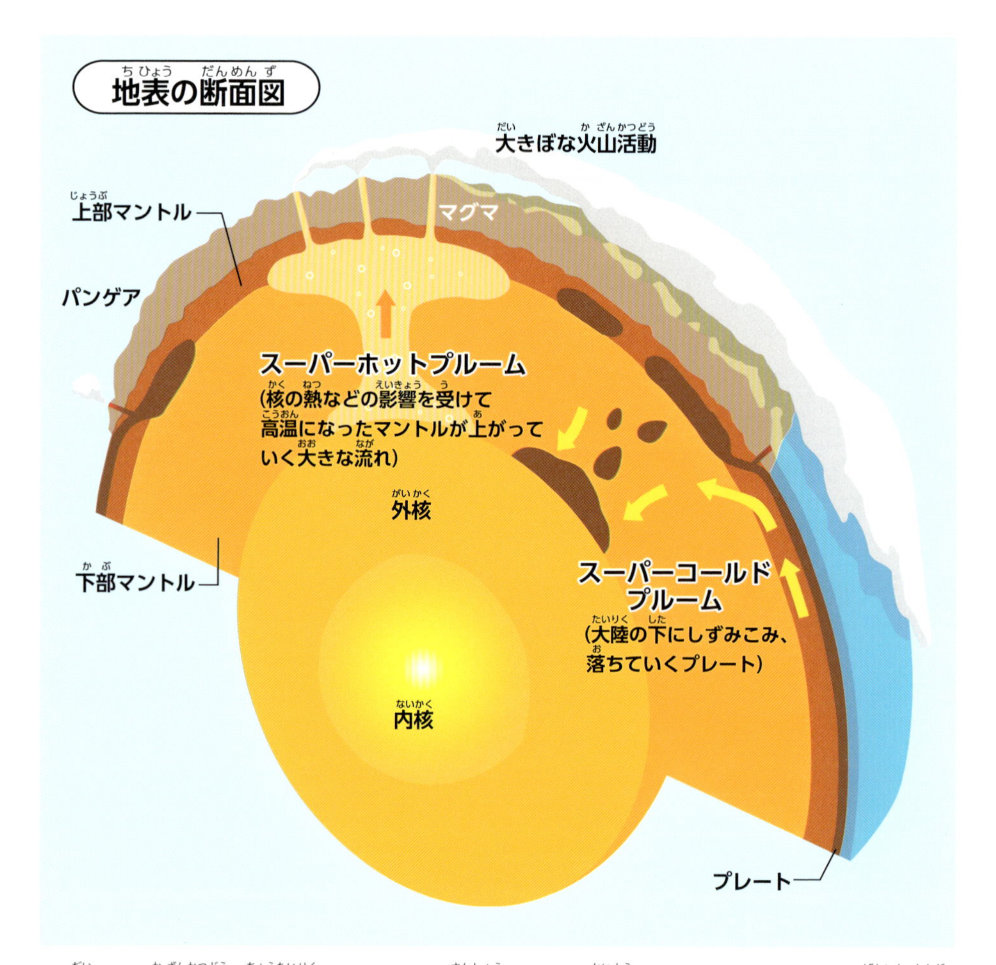

この大きぼな火山活動は、超大陸パンゲア(P18を参照)のまわりの海洋プレートがしずみこんだのが原因と考えられています。それはスーパーコールドプルームとなって下部マントルにしずみ、パンゲアの下では大きぼなスーパーホットプルームがわき上がり、大噴火になりました

スーパーホットプルームやスーパーコールドプルームのようなマントル内にたまった熱対流が原因で起こる地殻運動「マントル対流説」は、1990年頃から唱えられた学説です。

超大陸パンゲアの地下からマグマが上がり大爆発へ

生命が誕生し、進化を続けてきた地球。しかし、その長い歴史の中に、多くの生物が滅んでしまう大絶滅が何度か起こっています。古生代末（約2億5190万年前）の大絶滅は、火山の噴火が原因でした。そのころの地球に存在していた超大陸パンゲアの地下から上がってきたマグマによって、すさまじい火山噴火が起こりました。噴き出したガスや細かいチリはやがて地球全体をおおい、太陽の光が地上に届かなくなってしまいました。地球の気温は低下し、海のプランクトンや海草は光合成ができなくなり、海水中の酸素もなくなってしまいました。これによって多くの生物が絶滅したと考えられています。

舞い上がったチリが日光を隠し、地表が寒冷化！

もう一つ、大きな絶滅が中生代末（約6600万年前）の大量絶滅です。この時は巨大な**隕石が地球に落下※**し、舞い上がったチリが空全体をおおい、日光がさえぎられたことによって気温が下がり、植物が育たなくなったことと、気温が突然下がったことで、多くの動物が絶滅。結果的に恐竜やアンモナイトなどすべての動植物の約70％が滅んでしまったという説があります。この説を提唱したのは物理学者ルイス・アルバレスと、その息子のウォルター・アルバレスでした。しかし、なぜ同時期に存在していた両生類やは虫類は生き残ったのかという疑問も残っており、まだまだ解明されていないことが多いようです。

CHECK! ワンポイント講座

隕石が地球に落下／落下した場所はメキシコのユカタン半島。その地下に巨大なクレーターが発見されたことが、この説を有力にしています。また、中生代白亜紀層と新生代第三期層の黒色粘土層、通称K-T境界層のイリジウムの存在が決め手となったともいわれています。その層には通常の数十倍という濃度のイリジウムが計測されており、地球の地殻にほとんど存在していないことから、地球外から飛来したと考えられています。

古生代を代表する三葉虫もこの時に絶滅したと考えられています。

常に変化を続ける地球の気候、今は何と氷河期の中！？

寒かったり、暑かったり、地球は大忙し！

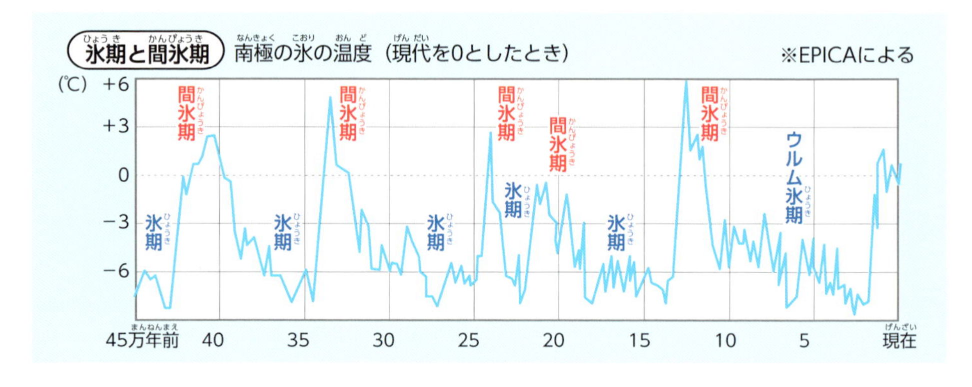

グリーンランドや南極に氷河が残り、今も氷河期の中

地球の長い歴史の中には、気候が暖かい時期と寒い時期があります。地球の気候が長期にわたって寒くなり、大陸上に氷河が存在する時期を氷河期といっています。46億年という長い地球の歴史の中で、地球は数回の氷河時代があったと考えられています。氷河期の中にも「氷期」と「間氷期」※があり、数万年の規模で大陸上の氷河が増えたり、減ったりしているといわれています。最近の氷期は約1万2000年前に終り、現在は間氷期の中にあるとされています。現在は約200万年前にはじまった第四紀と呼ばれる氷河時代であるといわれています。つまり、現在、地球には北半球のグリーンランドと南半球の南極に大陸氷河があるので、今も氷河期は終っていないということになります。

ワンポイント講座

氷期と間氷期／気温が何度以下で氷期、何度以上で間氷期になるのかという基準は定められていません。しかし、氷期と間氷期の平均気温の差は4度から7度ほどになっています。

地球NEWS 氷期は気温が低いために、水は氷として貯えられていました。このため、海の水が減り、海水面は現在より100mも低かったと考えられています。

2万年前の気候は今より7～8度低かった

地球誕生から46億年。過去に訪れた氷河期の回数は明確になっていません。諸説ありますが、現段階では4～6回くらいだという考えが一般的です。100万年前から現在まで、地球は寒い時期と暖かい時期が交互に訪れました。約7万年前から1万年前まで続いたウルム氷期の中で最も寒さがきびしかったのは2万年ほど前。そのころの気温は現在より7度から8度も低かったと考えられています。ウルム氷期では、ヨーロッパやアメリカの平地まで氷河におおわれていたと考えられています。

氷河といえばマンモス、絶滅した理由は？

氷河期に生息していた動物として有名なマンモス。マンモスはコロンビアマンモス、ステップマンモス、ケナガマンモスなどの種類がおり、ユーラシア大陸をはじめ、アフリカ、アメリカの各大陸に生息していたとされています。現在は地球上に存在していないマンモスですが、どうして絶滅してしまったのかという理由は未だ謎のままなのです。人間がマンモスの肉や骨、毛皮を利用するため大量に狩りをしたことが原因という説や、寒い気候に適した体を持っていたマンモスは、氷期が終わり地球が暖かくなったことで、気候に適応できなくなったという説などいろいろな説が考えられています。

地球NEWS 最後のマンモスは約4000年前にロシアのウランゲリ島という島で生きていたコビトマンモスという種類のマンモスです。その頃エジプトではギザのピラミッドがつくられていました。

第1章
地球ってどんな星？

赤道付近も含め、地球全体が完全に凍りついた!!

カチンカチンの冷凍時代もあった地球

地球全体が凍ったとされるスノーボールアース仮説とは

地球の表面がすべて凍ったという考えを「スノーボールアース仮説」といいます。今から約6億年前、一年中温暖な赤道付近に氷河があったことを示す証拠がいくつも見つかったことで、1998年ころから注目されている説です。文字通り、水の星といわれる青い地球（アース）が雪と氷におおわれて真っ白になり、まるで雪玉（スノーボール）のような姿をしていたことから、このような名前が付きました。地球がなぜ、そんなに冷えてしまったのか、理由はわかっていません。一説には、何かの理由で空気中の二酸化炭素が少なくなり、温室効果が小さくなって地球全体の寒冷化がはじまったからではないかと考えている研究者もいます。

スノーボールから地球に戻るまで

地球が真っ白に凍りついてしまいました

火山から二酸化炭素が噴き出し、空気中にたまっていきます

スノーボールアース仮説は、カーシュヴィンク教授が発表後、1998年にポール・ホフマン教授が科学雑誌サイエンスに調査結果を投稿し、大反響を呼びました。

凍りついた状態から戻った理由

地表が真っ白になってしまったために、地球は太陽の光をほとんど反射してしまいました。このままでは、氷に閉ざされた状態から二度と元に戻ることができなくなってしまうのでは…と考えてしまいますよね。ところが、数百万年～数千万年ほどたったころから、地球をおおっていた氷がだんだん溶けはじめました。これは、火山から吐き出された二酸化炭素が原因といわれています。氷に閉ざされた地表には植物がいないため、吐き出された二酸化炭素を吸収することができません。当然、海も凍りついているので、水中に二酸化炭素が溶けることもありません。こうして、空気中に二酸化炭素が充満し、温室効果によって地球の気温が上昇していったのです。一時期、地球の平均気温は40～50度まで上がったと考えられています。寒かったり暑かったり、変化の激しい環境の中で、**一部の生物**※だけが生きのび、あらたに多くの生物が誕生したのです。

CHECK! ワンポイント講座

一部の生物／地球の全面凍結とその後の温度上昇によって、原生生物が大量に絶滅した代わりに、酸素呼吸する生物や多細胞生物が誕生するなどの進化が起こりました。

二酸化炭素によって、気温が上昇し、氷が溶けていきます

グングンと温度が上がり、おおっていた氷が溶け、青い地球に戻ったのです

地球NEWS

凍りついた地球では多くの生物が絶滅しました。
しかし、深い海にすんでいた数種の生物は生き延びたといわれています。

第1章
地球ってどんな星？

寒暖を決めるのは太陽か地球か、それとも人間？

地球と太陽の深〜い関係

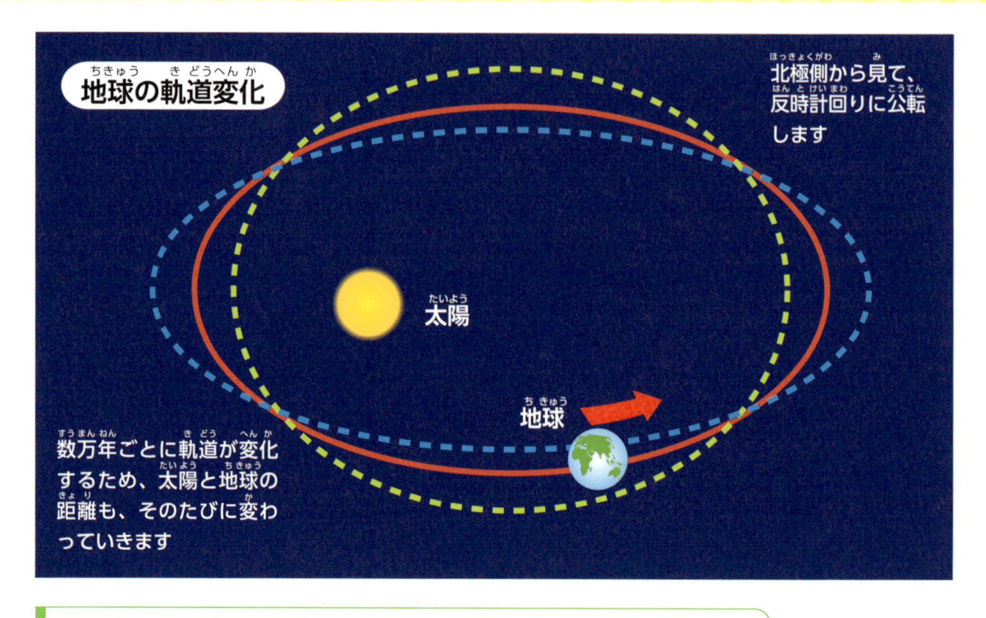

太陽の活動が地球の気候に影響を与えている!?

地球の気候が変化するのは、地球が太陽のまわりを1年かけて回る「公転」を行っているからです。これによって、季節が変化するのです。夏は暑く、冬は寒いというのが日本の四季です。しかし、最近では冷夏や暖冬、猛暑など気候の変化が起きており、暖冬や40度を超える日などの気温の上昇には、地球温暖化の影響が大きいといわれます。では、冷夏の場合は何が影響しているのでしょうか？それは、火山活動です。火山が噴火し、空高く吹き上げられたガスやチリが、地球全体に広がって太陽の光をさえぎるため、地表の気温が低くなってしまうといわれています。

江戸時代に起きた「天明の大飢饉」。作物が採れず、多くの人が餓死しました。原因はこの時期に起きたアイスランドと日本の浅間山の大噴火と考えられています。

太陽の活動が引き起こすさまざまな現象

太陽が地球に与える活動の中には、良い影響と悪い影響を与えるものがあります。その一つが太陽風と宇宙線です。宇宙に飛び交う宇宙線は放射線の一種で、人間が直撃を受けると大変危険だとされています。太陽風はこの宇宙線を吹き飛ばしてくれます。地球の生命は太陽によって守られているのです。2つ目が太陽風の贈り物といわれるオーロラ。太陽風はプラズマエネルギー（粒子）の流れで、地球の大気中の電離層と呼ばれる部分に流れ込むと、大気中の粒子に激突し発光します。これがオーロラです。このほかに、太陽の影響で起こるデリンジャー現象があります。これは太陽フレア（太陽表面の爆発現象）が活発になると地球に現れるX線や電磁波のこと。短波で行われるラジオや無線通信に影響を与えます。

人間の影響で加速する地球温暖化

太陽は今の形になってから、30%以上は明るくなったといわれています。これは、太陽がエネルギーを使い果たすまで明るくなり続けると予想されています。20世紀のはじめまで起こった地球の平均気温の上昇も、太陽が明るくなっていったことが大きく影響していると考えられています。しかし、現在問題になっている地球温暖化は、メタンや二酸化炭素などの温室効果ガスなどが原因です。地球誕生以来、46億年かけてゆっくりと上昇してきた気温を、20世紀以降のわずか百年ほどで、人間の手によってそれ以上に温度を上昇させてしまったのです。

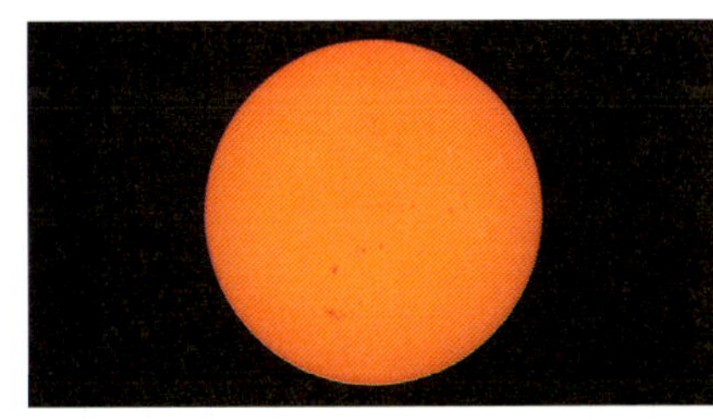

地球NEWS 太陽から降り注ぐ紫外線やX線。生物にとって危険な光線ですが、地球の磁場やオゾン層でさえぎられ、今のところ地上にはほとんど届かないようになっています。

第1章
地球ってどんな星？

太陽系で唯一生命が存在する奇跡の星、地球

どうして地球には生き物がいるの？

地球以外では見つかっていない生命

21世紀の現在、太陽系の**惑星※**の中で生命がいることが確認されているのは、私たちの住む地球だけです。水星、金星、火星は地球と似た岩石でできた惑星ですが、生命は見つかっていません。地球と他の惑星との違いは、地球には大気と水の両方がそろっていること。大気がない、または大気があっても熱すぎて生命の生育に適していない、太陽から離れていて気温が寒すぎるなどの理由で、他の星では生命が育たないのです。太陽からの距離や重力、大きさの条件で大気をつなぎ止め、水が液体として残っている地球はとても貴重な惑星なのです。

地球NEWS 太陽系の中で地球以外に生命が誕生する可能性のある星は、火星、木星の衛星であるエウロパ、土星の衛星のエンケラドスとタイタンといわれています。

生命の誕生、育成に不可欠なさまざまな条件

地球では多くの生物が誕生し、繁栄してきました。このように惑星に生命が発生するには、さまざまな条件がそろわなければなりません。それは太陽光と地熱エネルギー、そして大気※と水です。中でも水は生命が生きるための重要な要素です。地球上の生物の体のほとんどは水でできています。また、液体である水はさまざまな化学反応の起こる場として、とても重要です。水が惑星に存在するためには、惑星の大きさと太陽からの距離、さらに重力や地表温度など、さまざまな条件が水の存在を可能にする程度でなければなりません。恒星のまわりで液体の水が存在できる領域を「ハビタブル・ゾーン（生命生存領域）」と呼びます。太陽系では金星のやや外側から火星のやや内側にあたる領域に存在する地球だからこそ、生命が生まれ、進化したのです。

CHECK! ワンポイント講座

惑星／光を発する恒星のまわりを回る星のことで、太陽系には8つの惑星があります。
大気／大気は地球が誕生してから何度もそのバランスが変わってきました。大気のバランスに適応できなかった生命は滅び、適した体に進化した生き物は繁栄しました。

金星・地球・火星の比較

	金星	地球	火星
半径	6,052km	6,378km	3,397km
質量（地球＝1とする）	0.82倍	1倍	0.11倍
自転周期	243日14分	23時間56分	24時間37分
公転周期	225日	365日	687日
太陽からの距離（地球＝1とする）	0.72	1	1.52
平均温度	464度	15度	−63度

地球NEWS 2009年にNASAは火星の表面に水があるという研究報告を発表しました。

私たちホモ・サピエンスが登場したのは約20万年前

ついにボクらの先祖が誕生した！

地球に私たちの先祖が誕生したのはいつ？

人類はほ乳類の中の霊長類に分類される生き物です。その霊長類が誕生したのは今から約6600万年前、恐竜が絶滅する少し前と考えられています。2500万年前～700万年前の類人猿によく似た動物は、アフリカやユーラシア大陸など広範囲に分布していました。そのころの霊長類は木の上で生活し、木の実などを食べて暮らしていました。やがて2500万年前ころになると、木から降りて、陸上で生活するようになりました。これは当時の地球の気候の変動により、雨が減少し、森が少なくなってしまったことで、食べ物を草原に求めるようになったからではないかといわれています。

猿人から原人、そして旧人から新人へ

〈猿人〉

サヘラントロプス・チャデンシス／
約700～600万年前にアフリカで生活していたと考えられていて、脳の大きさは360～370ccでチンパンジーとあまり変わらず、身長は105～120cmくらい。直立歩行ができていたかはまだ分かっていません

〈原人〉

ホモ・エレクトス／
約180万年前にあらわれたと考えられています。身長は180cmくらいあったと目され、脳の大きさは900～1,100ccくらいで、猿人の2倍以上あり、火や木製の道具を使いました

地球NEWS
ホモ・サピエンスは「知性ある人」という意味。
彼らは厳しい氷河時代にあって、効率よく食料を調達できる知能がありました。

身体的な進化をしていく人類

さらに700万年前になると、人類と類人猿の2つにわかれます。このころから人類はほかの動物とは異なる、独自の進化をはじめました。どうしてわかれてしまったのか、原因は未だに解明されていません。一部では、生息していたアフリカが乾燥し、森林が減少したことで、サバンナでの生活へと、環境を変えたことが理由であるともいわれています。人類は脳の容量もどんどん増えていき、一方で顔や歯はどんどん小さくなっていきました。二足歩行も可能となり、手に物を持つことができるようになったため、いろいろな道具を使うようになりました。これが私たちの直接の先祖と目されています。

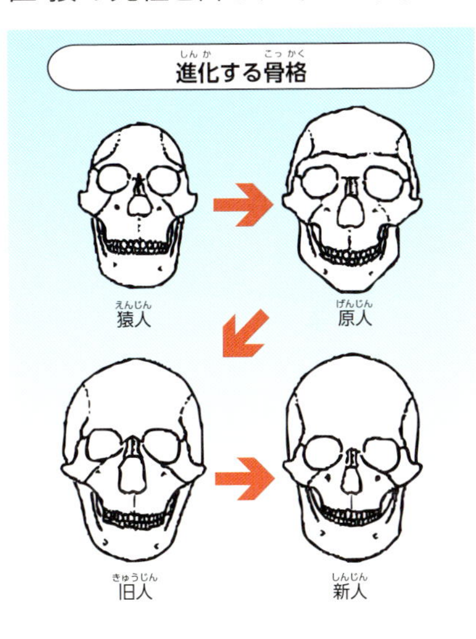

約700万年前から現在までの人類の進化をたどると猿人、原人、旧人、新人にわけられます。私たちの直接の祖先は「ホモ・エレクトス」から進化した「ホモ・サピエンス」という種です

〈旧人〉

ネアンデールタール人／ネアンデールタール人など旧人が誕生したのは約50万年前から30万年前。脳が大きくなり、石器の使用や埋葬の習慣もあったとされています

〈新人〉

ホモ・サピエンス／約30～20万年前にアフリカに現れ、5万年前頃にアフリカから西アジアに進出、その後世界中に広がったとされ、現在の人類の直接の先祖で、新人あるいは現生人類といわれています

現生人類と同じ人類がいた1万年前。
農耕革命が起き、人々は植物を栽培し、動物を家畜化するようになりました。

第1章 地球ってどんな星？

宇宙まで行くことを可能にした人類

人口の増加と文明の開拓

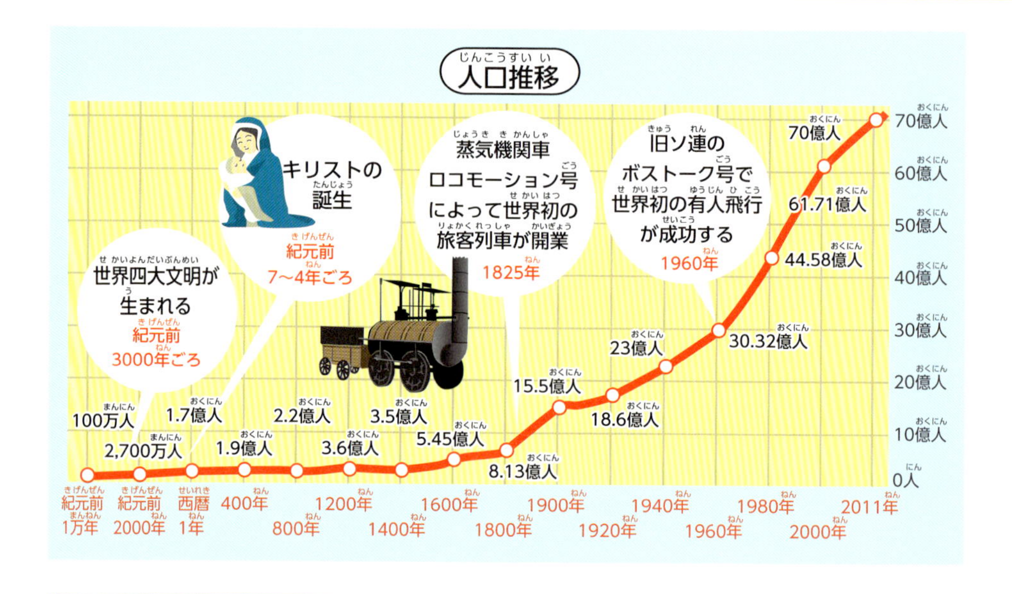

自然を破壊し発達してきた人類の文明

古代文明が誕生したころから、人類は自然を人間の都合の良いように作り変えてきました。森林を切り開いて畑や牧場を作って食料を確保したり、海を埋め立て土地を増やしてきました。260年前からは石炭や石油などのエネルギーを大量に使い、未開の大地を開拓して人類が暮らせる場所を拡大してきました。2000年前と比べると現在の人類はおよそ40倍に増えています。こうした自然破壊と爆発的な人口の増加によって、これからの人類には、今までと同じように豊かな暮らしは維持できないという警告が出されています。今を生きる私たちが抱えるいろいろな問題を解決することが、急がれています。

地球NEWS 世界四大文明の発祥には水が影響しており、文明が誕生した地域には大きな川が流れていました。

道具を手にした人類が築いた世界四大文明

現在の私たちの祖先に最も近い人類は約20万年前にアフリカで誕生しました。その後、一部のグループがアフリカを出てアジアにわたり、そこから世界中に広がったと考えられています。今から5000年〜4000年ほど前になるとエジプト、メソポタミア、中国、インドに文字や高度な土木・建築技術を有する古代文明が生まれました。これがエジプト文明、メソポタミア文明、インダス文明、黄河文明といった**世界四大文明**※です。その後、18世紀のはじめに人類にとって革命的かつ実用的な蒸気機関が発明されました。これによって人類は機械による強大なパワーを得たのです。さらに約100年前には、自動車や飛行機といった人や物を運ぶ移動手段を手に入れ、産業も飛躍的に進化しました。家庭においても電気が使えるようになり、約50年前には遂に人類は宇宙へ進出しました。

1984年に初めて安全ひもなしで宇宙遊泳を成功させたブルース・マッカンドレス飛行士

CHECK! ワンポイント講座

世界四大文明／世界四大文明以外にもメソアメリカ文明、アンデス文明などのアメリカ大陸文明があり、世界六大文明ということもありますが、一般的には含まれていません。

地球NEWS
何千年も前から人口が増え続けている地球。
しかし、1300年〜1700年には世界中で感染症が流行し一時的に減少しています。

第1章 地球ってどんな星？

資源は過去からの贈り物

文明を発展させた資源はどこからきた？

超新星爆発によって生まれる元素

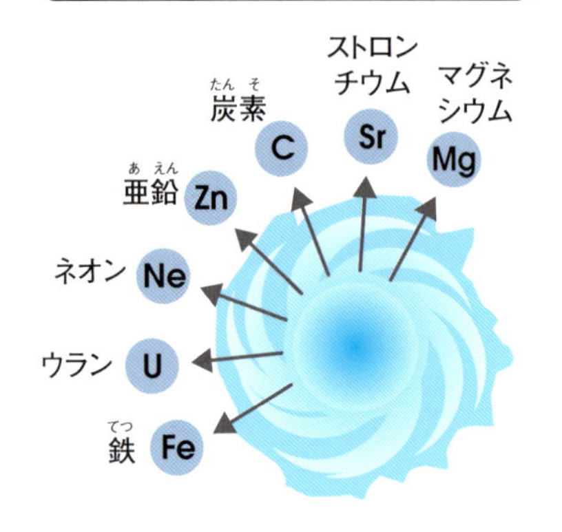

超新星爆発 ➡ 元素がばらまかれる

鉱山が生まれる仕組み

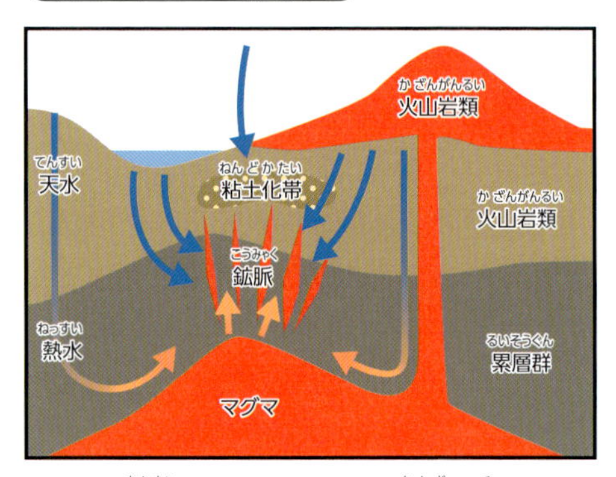

マグマに温水がかかり、マグマの温度が冷えて鉱脈になります。

宇宙からやってきた資源

私たちが使っている金属などの資源は地中の鉱山から採掘することができます。しかし、その資源はどこで生まれたのでしょうか。水素やヘリウムなどは約138億年前、宇宙の始まりのビッグバンにより生成されました。水素やヘリウムより重い鉄までの元素は太陽のような恒星内部の核融合により生成されます。恒星が寿命を迎えて超新星爆発によってその元素が宇宙にばらまかれ、それが微惑星となって衝突をくり返して地球になりマントルの中に蓄えられました。そして海底の熱水や地上の火山のマグマなどを通じて金属が地上に出るのです。現在宇宙空間に漂う小惑星には、鉄や希少金属も含まれていると考えられています。

地球NEWS 金の量が少ない理由として、大質量の星が超新星爆発を起こした後に残る特殊な天体である中性子星同士の衝突で生まれるからだと考えられています。

生物の死骸などでつくられている

私たちが普段暮らしている地面の下には、石や砂、泥などが積み重なっています。これを地層といいますが、そこにははるか昔に生きていた動物の死骸や枯れた植物などが埋もれています。それらが長い年月をかけて地熱と地圧によって燃えやすい成分に変化し、分解してできた有機物燃料が**化石エネルギー**※です。

CHECK! ワンポイント講座

化石エネルギー／化石エネルギーの内、液体を石油、気体を天然ガス、個体は石炭です。石油は約2億年前から6550年前の白亜紀のころの生物の死骸が元になっていると考えられています。

化石エネルギーはこうしてできている

出典／東京ガスHPを参考に作成

①生物の死骸（有機物）が泥とともに堆積されます

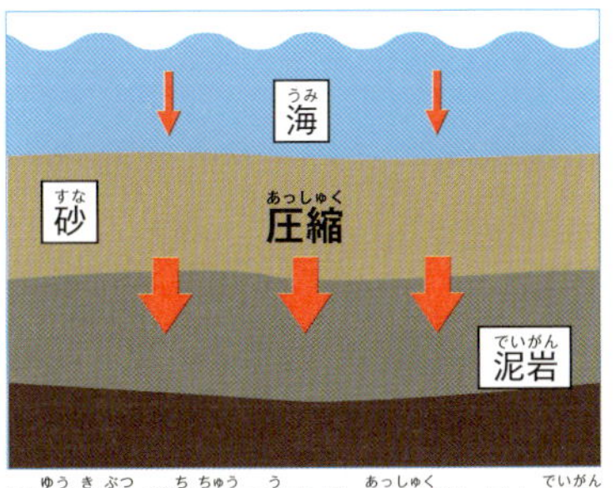

②有機物が地中に埋まり、圧縮されると泥岩ができます

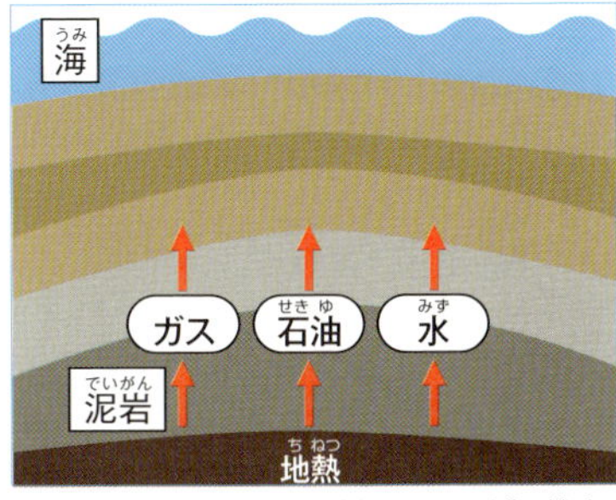

③地熱によって泥岩が分解され、水、石油、天然ガスが生成します

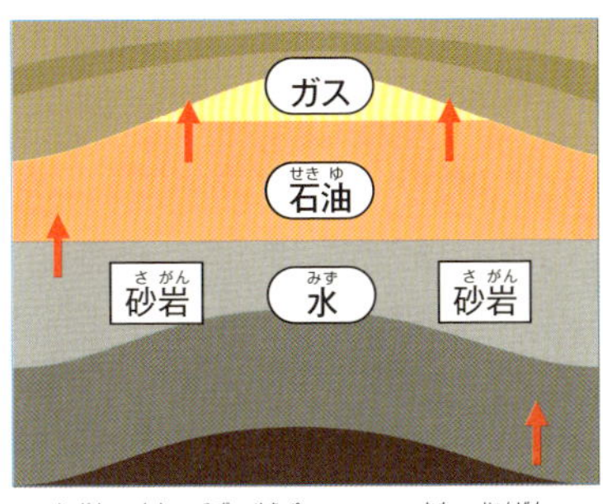

④砂岩の中に水、石油、ガスが重い順番でたまっていきます

地球NEWS

植物が化石燃料となったものが「石炭」なのですが、石炭の多くは3億5920万年前から2億9900万年前の間の地層から産出されるためその時期を「石炭紀」といいます。

大切にしたい資源は、地球からの恵みです

環境破壊した文明は滅んでいた？

イースター島の悲劇から学ぶ自然破壊の恐怖

かつて隆盛を極めた文明の中には、環境破壊を止めなかったために滅んでいった地域がありました。その一つが南太平洋に浮かぶイースター島※です。最大で20mもあるモアイと呼ばれる石像があり、島全体で約1,000体も確認されています。イースター島には1000年以上前に船で渡ってきた人が住みつきました。そのころの島には豊かな森があったと考えられています。

人々は森を切り開いて畑を作り、切った木で家や船を作りました。さらにモアイを運んだり、立てるためにも木が使用されました。しかし、大切な資源である木を大量に切り出したため、島には生活に必要な木がほとんどなくなってしまいました。木がなくなった島では家が作れなくなり、人々はどうくつで暮らしました。船もないので漁もできず、雨で土が流出して畑もやせていきました。その結果、食料も確保できず、生活して行けなくなった人々の間で争いが起きてしまったのです。資源を大切にしなければ私たちの未来も同じようになるかもしれません。

ワンポイント講座

イースター島／南太平洋に浮かぶ、総面積164km²の小さな島。火山の島ですが、現在は活動を休止しています。

四大文明の一つであるメソポタミア文明のシュメールという国は、森林伐採が原因で衰退したといわれています。

急速に進んでいる地球温暖化

第2章
急速に進んでいる地球温暖化

自然による影響と人間が与える影響がその原因

地球の気温はどんどん上がっている

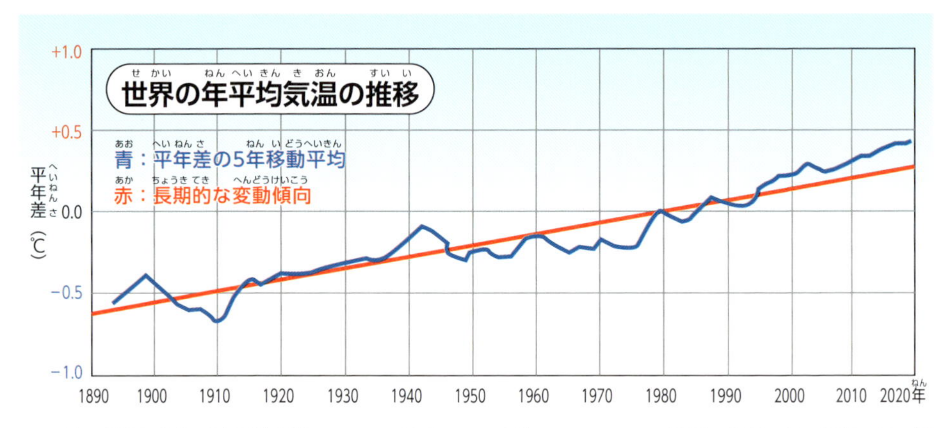

1980年を基準に世界の年平均気温がどれだけ変化したかを表しています。1990年半ば以降は特に高温の年が多いです　出典）気象庁

約130年間で0.85度上昇した年平均気温

地球は以前より温かくなっているといわれていて、これを地球温暖化といいます。大気や海洋の平均温度は「地球の平均気温」や「地上平均気温」と呼ばれ、地球全体の気候の変化を表わす明確な指標として用いられています。地球の歴史上、気候が温暖になったり、寒冷になったりする現象は数回くり返されていますが、19世紀から始まった科学的な気温の観測をもとに取られた統計によると、地球の年平均気温は上昇傾向を示しており、1898年から2020年の122年間で1.26度上昇していることがわかりました。20世紀の後半には気温上昇のペースが速まり、これによって海水面の上昇や気象の変化が観測され、生態系や人類の活動への悪影響が心配されています。

気象庁によると日本の年平均気温は100年あたり、約1.28度の割合で上昇したと2022年1月に発表されています。

世界的な研究機関が報告した地球温暖化

地球温暖化は自然が与える影響と人間が与える影響の2つにわけられます。20世紀後半の温暖化については、人間の産業活動によって排出された温室効果ガスが主な要因で引き起こされたという説が有力になっています。温室効果ガスの中でも、**二酸化炭素※**とメタンが温室効果に大きな影響を与えていると考えられています。世界中の学者が集まって地球温暖化の研究を進めている**IPCC（気候変動に関する政府間パネル）※**という国際機関は、2014年に「第5次評価報告書」を発表しました。これは現在、世界で最も多くの研究結果が集められ、世界的に認められた報告書であり、それによると地球温暖化は今後も進む一方であるといわれています。地球は今、本当に温かくなっているのです。

CHECK!
ワンポイント講座

二酸化炭素／二酸化炭素の増加は主に人間による石油や石炭などの化石燃料の使用が原因だとされています。

IPCC（Intergovermental Panel on Climate Change）／IPCC（気候変動に関する政府間パネル）は1988年に設立された国連の機関。これまでに何度か気候変動に関する研究結果を報告しています。

工場などが増えてから温暖化が進んだと考えられています

地球の気温は太陽の活動にも影響を受けるとされていて、過去の生物が絶滅した原因の一つといわれています。

第2章 急速に進んでいる地球温暖化

原因は人間の産業活動で排出される二酸化炭素など

どうして地球は温かくなったのかな？

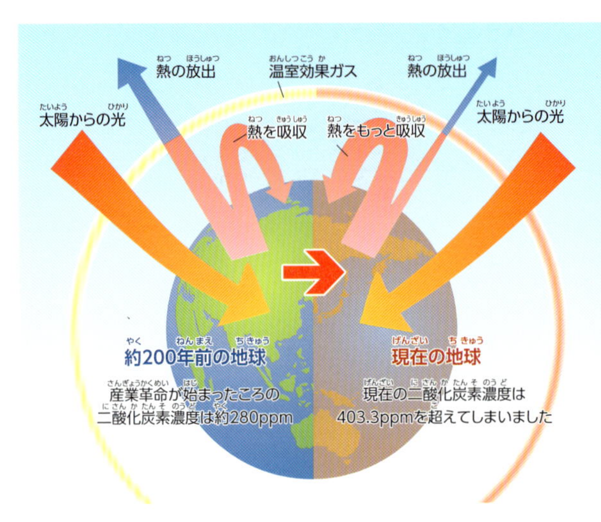

地球温暖化メカニズム

産業革命以降の大量生産は、エネルギーを大量に使用して私たちの生活を豊かにしました。しかし、自然が吸収できる量以上の温室効果ガスを出し続けたので、地球の温度を上げてしまっているのです

（気象庁HPより）

温室効果を引き起こす温室効果ガスとは

地球が徐々に温かくなっていく「温室効果」とは何でしょうか？まず、大気を有する惑星の表面は太陽によって温められ、熱を放出します。発せられた熱（赤外線）が大気圏外に届く前に空気中の物質に吸収されて大気圏の内側で対流し、その結果、大気圏内の気温が上昇するという現象です。ビニールハウスのように太陽の熱で中の温度が上昇することから、この名が付けられました。温室効果を引き起こす主要因となっているのは温室効果ガスです。温室効果ガスは大気圏にあり、それが増えると吸収される赤外線の量も増えてしまいます。そのガスから赤外線が放出されて空気を温め、地上付近の気温が上昇して、地球温暖化を引き起こします。

温室効果は1824年にフランスのフーリエが発見し、スウェーデンのアレニウスが炭酸ガスと温室効果の関連性について初めて語りました。

温室効果ガスの種類

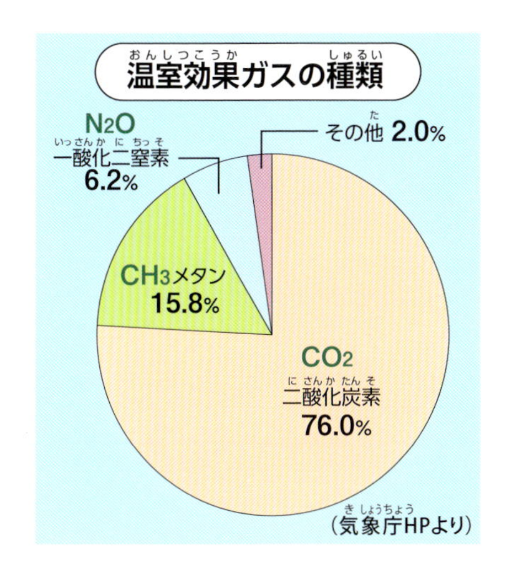

温室効果ガスには、二酸化炭素のほか、メタン、一酸化二窒素、フロンなどがあります。それぞれがもたらす温室効果の度合いには違いがあり、メタンは二酸化炭素の21倍の温室効果があるといわれています。実際、2億5千万年前の大量絶滅の原因の一つとして、メタンの固体であるメタンハイドレートが溶けて気化し温暖化を加速させたと考えられています。

くずれはじめた温室効果の適度なバランス

地球は温室効果ガスにおおわれているため、平均気温が約15度に保たれてきました。もしこのガスがなければ、地球の気温は－18度と低温になってしまいます。これまで温室効果ガスは適度なバランスを保ちながら、地球を快適にしていました。しかし、近年はこのバランスがくずれはじめています。温室効果ガスのうち、二酸化炭素は260年ほど前までは空気中に0.028%の割合で含まれていました。しかし、その後**産業革命**※を機に盛んになった重工業で石炭や石油を大量に使用するようになると、二酸化炭素が空気中に大量に放出されるようになりました。2020年には260年前の約1.45倍にまで排出量が増えています。

CHECK! **ワンポイント講座**

産業革命／18世紀から19世紀にかけて起こった工場制機械工業の導入による産業の変革と、それに伴う社会構造の変革を総称して言います。

気候の変化は温室効果だけでなく、地球の全体のエネルギーの流れや物質循環なども考慮する必要があるといわれています。

第2章
急速に進んでいる
地球温暖化

温室効果ガスの主成分は、どこから排出されているのか？

増えて困っている二酸化炭素

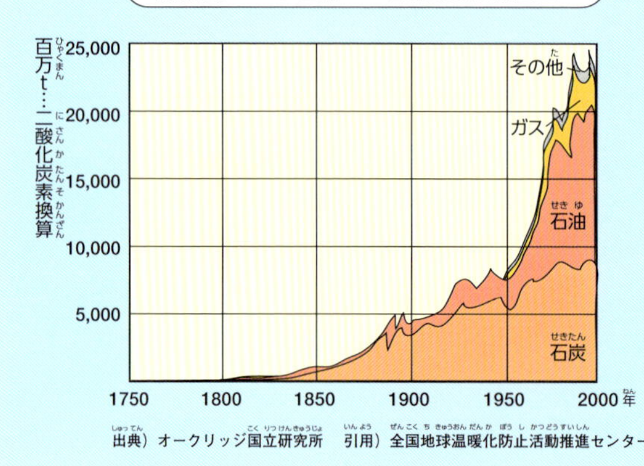

最初は石炭が主に使用されていましたが、1900年ごろから石油の使用量が多くなっています

自動車の排気ガスは大量の二酸化炭素を排出しています

産業革命以降、二酸化炭素は急速増加中！

地球の大気は約78％の窒素と約21％の酸素、そして数種の気体が少しずつ含まれています。その中で二酸化炭素の割合は260年前の約0.028％から約0.039％と確実に増えています。二酸化炭素は炭素を含む物質が燃えた時に大量に発生します。現在に比べ人口が少なく、工業技術もほとんど発達していなかった260年前は、石炭や石油を燃やす量も少なかったのです。その後、1760年頃にイギリスで蒸気機関が発明されたことをきっかけに産業革命がはじまり、自動車や飛行機が開発されて、工業が盛んになり、火力発電も行われるようになりました。こうして石炭や石油が大量に燃やされ、大気中に二酸化炭素が急激に増えていったのです。

技術が発展した先進国は多くの二酸化炭素を出しています。
また、活発な経済活動により、さまざまな有害物質も出しています。

今すぐ使用中止できない化石燃料

大気中に二酸化炭素※が増えている最大の要因は灯油や石油、ガソリンといった化石燃料の消費です。それならば化石燃料の使用を控えることで問題は解消されるのでは？と思われるかも知れませんが、それらの燃料は直接使用するだけではなく、テレビや冷蔵庫、洗濯機、エアコンなどの電化製品に必要な電気の発電に利用されています。さらに自動車や飛行機なども燃料が石油である以上、二酸化炭素の排出を止めることはできないのです。このように化石燃料を消費してエネルギーを作りだして、二酸化炭素を出し続けることによって、現代の生活は成り立っています。それだけに温暖化の原因といわれても急に使用を止めるわけにはいかないのが現状です。私たちが排出している二酸化炭素の量は年間336億（2019年）トン。そのうち114億トンは植物や海が吸収してくれますが、残りの150億トンは空気中に残ってしまいます。大気中の二酸化炭素をこれ以上増やさないようにするためには、植物や海が吸収してくれる量と同じくらいまで、化石燃料の使用を大幅に控えなければなりません。

地球が吸収できない二酸化炭素

CO_2

CO_2

約150億トン

〈排出量〉

約114億トン

〈吸収可能な量〉

ワンポイント講座

二酸化炭素／化学式はCO_2と表される無機化合物。物を燃やすだけで生成されるため、地球上で最も代表的な炭素の酸化物となっています。気体は炭酸ガス、固体はドライアイス、水溶液は炭酸、または炭酸水となっています。

途上国でも人口が急激に増加し、農地や放牧地の拡大のため土地を開拓し、森林破壊も行っているため、温暖化に拍車をかけています。

温室効果ガスの中で二酸化炭素の次に多いメタンとは!?

えっ!それもあれも、温暖化の原因!?

なんと牛のゲップも温暖化を招いていた

二酸化炭素に次いで温室効果ガスの原因となっているメタン(CH_4)も問題になっています。メタンは、湿原や天然ガスなど自然の中から発生しているほか、人間の活動と関係したところからも多く発生しています。中でも大きい割合を占めているのが牛や羊などの家畜から出るメタン。牛や羊は一度飲み込んだ食物を口の中に戻し、かみ直して再び胃に戻す「反すう」を行います。戻す時に発こうで発生したメタンを、げっぷと一緒に空気中に吐き出すのです。世界にはおよそ15億頭の牛と12億頭の羊が飼われているといわれています(2021年FAO/国際連合 食糧 農 業 機関による集計)。世界中の家畜から出るメタンによって、地球の温暖化が促進されています。

牛、羊などの家畜のげっぷやふんから

湿原から

温暖化には温室効果ガスの増加のほかにも、森林破壊や大気汚染、水質汚染、オゾン層の破壊など、さまざまな要因が考えられています。

普段の暮らしも温暖化に直結

牛や羊のげっぷが地球温暖化を促進している理由の一つであることは意外な事実として衝撃的でしたが、実は私たちの生活に必要不可欠な水道を使用することも、地球温暖化を促進しているのです。川から水を汲み上げる時や、家庭に水を送る時にはポンプが使われています。また浄水場で水をきれいにするためにも機械を使用しますが、その機械を動かすためにはたくさんの電気が使われます。2020年の統計では、年間986.95TWhの電力を使い、11億5,000万トンの二酸化炭素を排出しました。安心・安全な水道水を使用することも、二酸化炭素の排出という点から見ると、地球温暖化に無関係とはいえないのです。メタンの排出も牛や羊などの家畜だけの影響によるものではありません。私たちが主食としているお米を育てる、田んぼからもメタンが排出されています。しかし、水をきれいにしたり、牛や羊を飼育するのも、私たちが健康で生活するために必要なこと。商品を運ぶために使う自動車も二酸化炭素を出しています。ここで覚えておきたいのは、普段は気にしないで過ごしている当たり前の生活が、地球温暖化に結び付いているということです。

水田から

木や枯れ草などをもやしたとき

天然ガスや石油から

温暖化は、温室効果ガスの排出など人為的影響の一方で、雲や太陽放射といった自然による影響は比較的関心が薄くなっていますが、今後の研究に関心が集まっています。

オゾン層に穴があき、体に悪い紫外線が増加

大切なオゾン層も減少中!

どうしてオゾン層はこわれるの?

地上から10～50kmの成層圏というところにオゾン層という生物に有害な紫外線をしゃ断する層があります。しかし、このオゾン層に穴が開くという恐ろしい状況が発生しているのです。原因はフロンという化学物質。私たちは1990年代まで、冷蔵庫やエアコンを冷やす仕組み、また電子部品の半導体などの洗浄用に使用していました。また、体に害がないのでヘアスプレーにも使用していました。その後、南極上空でオゾンホールというオゾン層がうすくなる現象が発見され、私たちは話し合いで先進国は1996年以降、発展途上国は2025年までにフロンの使用を停止するという約束をかわしましたが、オゾン層はまだ完全に回復していません。

フロン対策は、どうなっているの?

世界的にフロンを規制するために、1987年「オゾン層を破壊する物質に関するモントリオール議定書」が採択されています。その後も2007年まで6回に渡り、規制を強化。すでに先進国ではHCFC(ハイドロクロロフルオロカーボン・代替フロン※)以外のオゾン層破壊物質の生産が全廃されています。

ワンポイント講座

代替フロン／オゾン層に与える影響が少ないことからフロンの代わりに使用されましたが、温室効果ガスとして環境に与える影響が大きく、使用が規制されることになりました。

紫外線は、UV-A、UV-B、UV-Cに分類されます。
この中でオゾン層に吸収されず、その一部が地表に到達するUV-Bが有害です。

第3章

温暖化の影響を考えよう！

第3章 温暖化の影響を考えよう!

地球全体に深刻な影響を与える北極圏の温暖化

北極の氷が溶けるとどうなるの?

北極域の海氷域面積の年最大値・年最小値の経年変化（1979年～2021年）

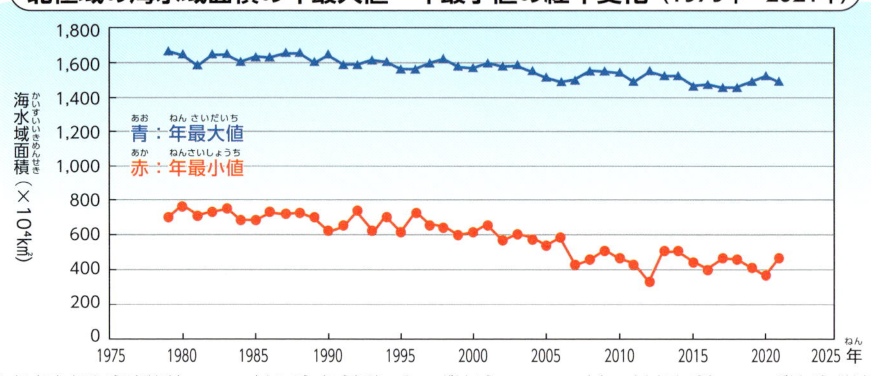

北極域の海氷域面積は、1979年以降、長期的に見ると減少しています。特に、年最小値において減少が顕著で、1年当たりの減少量は北海道の面積に匹敵します。

（参照：気象庁HP）

国連の研究機関が発表した北極海の海氷面の縮小

北極は北アメリカ、ユーラシア大陸、グリーンランドなどに囲まれた北極海の中にある北極点を中心とした地域のこと。また、白夜、極夜※を見られる地域を北極圏といいます。北極海の氷は、冬の間はほとんど凍っていますが、夏の期間は一部溶け出します。しかし、温暖化の影響か、年々氷の量が減少していることが判明しました。WMO（世界気象機関）の2017年の発表では、2017年の1月の海氷面積は、1979年からはじまった観測史上最小の水準であることがわかりました。

ワンポイント講座

白夜・極夜／白夜は太陽が昇る状態が続く現象、極夜は太陽が沈んだ状態が続く現象。太陽の光が当たる限界緯度66.6度を超える北極圏や南極圏で見ることができます。

北極の氷が溶けてなくなると地表の反射率が低下し、太陽エネルギーの吸収率が高まります。これが温暖化に一層拍車をかけると考えられています。

毎年北海道と同じ面積の氷が溶けている

北極圏の氷が地球温暖化の影響によって急速に溶け出していることは前の項で述べた通りです。全国地球温暖化防止活動推進センター（JCCCA）によると、北極の平均気温は世界の他の地域に比べて2倍もの速さで毎年上昇しており、このまま地球温暖化が進んでいくと、100年後には大陸部で3〜5度、海上では最大7度上昇すると予測されています。また**ホッキョクグマ※**ですが、現在のペースで温暖化が進むと21世紀中ごろまでにホッキョクグマの生存に適した夏の海氷面積は4割近くが失われ、エサ不足の影響もあって個体数は現在の2/3に減少する可能性もあるようです。ホッキョクグマがエサを求めて南下した結果、ハイイログマ（グリズリー）の生息域とぶつかって近年交雑種が増えているという報告もあります。

温暖化に伴って冬でも北極海を船で移動できるようになれば、エジプトのスエズ運河を経由せずに東アジアとヨーロッパを結ばれるので燃料費が少なくて済むというメリットもあります。

CHECK!
ワンポイント講座

ホッキョクグマ／体毛が白く見えるのでシロクマともいわれています。雑食性のクマの中でも肉食性がとても強く、アザラシなどの鰭足ほ乳類や魚類、海鳥など何でも食べます。泳ぎもとても得意です。

北極圏の氷は減り続けているのですが、南極の海氷は増えているというデータもあり、地球全体の氷の量が急激に減っていないと考えている研究者もいます。

第3章
温暖化の影響を考えよう!

極寒の地にも影響を与えている地球温暖化

大きな氷が海にくずれている南極

宇宙からみた南極大陸(写真NASA)

ラーセンB棚氷からくずれ落ちた氷山(写真NASA)

テレビでも放映されている衝撃のシーン

地球温暖化が影響を与えている地域は北極やグリーンランドだけではありません。特に影響が大きいのが、最も多くの氷が集まっている南極です。一部では南極でも氷が溶けはじめているという研究結果も報告されています。それを示すように南極の氷山がくずれ落ちる様子が報道され、テレビなどで見た人はとても衝撃を受けました。実際に、南極半島から突き出たラーセンB棚氷が40km、幅5kmにわたって崩れ落ちたことが米国海洋大気局(NOAA)の極軌道衛星が撮影した画像から判明したとコロラド大学の研究チームが発表しました。研究では、ラーセンB棚氷の3分2に相当する約8,000k㎡が消滅の危機にあると警告しています。

地球NEWS
南極氷床のほとんどの地域は平均気温-30度〜-50度なので数度の気温上昇で氷が溶けだすことはなく、海面は上昇しないという説もあります。

過去30年間に消滅した以上の氷が今後は消える？

崩壊が観測された南極のラーセンB棚氷※。全体の面積は12,000km²で南極の中では温暖な最北部に位置しています。このため、崩壊の進行が地球温暖化を示す重要な指標になるといわれています。この付近では、1995年にラーセンAと呼ばれる棚氷、約1,300km²が崩壊し、海に溶け出しました。南極の気温は1960年代から平均2.5度上昇しており、その結果、南極周辺の棚氷が部分的に崩落。研究者によるとラーセンB棚氷では、過去20年間に消滅した棚氷の総面積を上回る棚氷が、今後消滅すると予想しています。

CHECK!
ワンポイント講座

棚氷／大陸をおおう氷床が自らの重みで押し出され、海上に張り出した巨大な氷のかたまりのこと。南極には氷の厚さが800mにおよぶ棚氷もあります。

2002年にわずか数カ月で崩壊したラーセンB棚氷（写真NASA）

2002年1月31日の時点では、まだ棚氷の輪郭がはっきりと見える

2月23日の画像では、徐々に棚氷が溶けだしているのが分かる

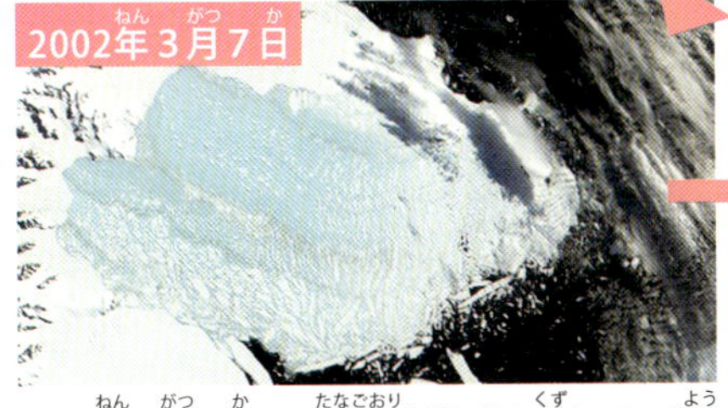

2002年3月7日には棚氷がどんどん崩れていく様子が見て取れる

4月13日。崩壊したラーセンB棚氷。氷河が海へと流れだしていくのが分かる

地球NEWS 温暖化が進むと、海水温の上昇により海水面からの蒸発は増え、南極氷床に降る雪の量が増加すると予想されています。

世界各地で起こる異常気象の原因って?

第3章
温暖化の影響を考えよう!

温暖化で猛烈に大きくなる台風

2019(令和元)年10月に発生した「令和元年東日本台風」。昭和54年台風第20号以来、40年ぶりに死者100人を越えた台風です。同年9月に発生した「令和元年房総半島台風」と共に42年ぶりに命名されました。

(トゥルーカラー再現画像:気象庁、NOAA/NESDIS)

発生のメカニズムは解明されていない台風

強い風や大雨を降らせる台風※とは、太平洋や南シナ海で発生する熱帯性低気圧で最大風速34ノット(秒速17.2m)以上のものを指します。台風が発生するメカニズムはハッキリとわかっていませんが、気温と密接なかかわりがあるといわれており、地球温暖化が進むと台風が蓄えるエネルギーも大きくなるので、猛烈な勢いの台風が増えると心配されています。

CHECK!

ワンポイント講座

台風/ニュースなどで耳にするサイクロンやハリケーンも台風と同じ熱帯性低気圧です。発生する場所で名称が変わり、北西太平洋では台風、ベンガル湾とアラビア海ではサイクロン、北大西洋と東太平洋ではハリケーンになります。

地球NEWS

台風は過去30年(1991年～2020年)で年間平均約25回発生しています。日本にはそのうち年平均3回上陸していますが、近年はその数が増えています。

近年、大型の台風が上陸している日本

近年、日本には大型の台風※が上陸するようになりました。その原因はわかっていませんが、温暖化の影響も考えられています。台風が来ると多くの雨が降り、自然界に多量の水分が行き渡るので恵みの雨となります。その一方で、洪水をはじめ、さまざまな自然災害を引き起こす要因にもなります。日本では短時間に大量の雨が激しく降る「豪雨」が増えており、突然の豪雨に襲われるケースを「ゲリラ豪雨」と呼んでいます。これまでも集中豪雨や台風により、各地で土砂崩れや地すべりなど被害が出ていましたが、近年はその被害件数が増大しています。これらがすべて地球温暖化が原因とはいえませんが、世界中で異常気象が起きていることは、まぎれもない事実です。

CHECK!

ワンポイント講座

日本の台風／日本において過去20年の間、最も台風が多く上陸した地域は鹿児島県です。続いて高知県、3番目が和歌山県。沖縄が入っていないのは意外かもしれませんが、沖縄の場合、上陸ではなく通過となります。沖縄本島が台風よりも小さいため、上陸とは呼べないのです。

2005年に発生したハリケーン「カトリーナ」で大きな被害を受けたアメリカ・ニューオリンズ市

日本では風速33m/秒以上から44m/秒未満を「強い」、風速44m/秒以上から54m/秒以上を「非常に強い」、最大風速54m/秒以上を「猛烈な」と台風の強さを分けて表現しています。

第3章
温暖化の影響を考えよう!

身近に感じる温暖化の影響と環境破壊

暑い地域の生き物が、日本にやってくる?

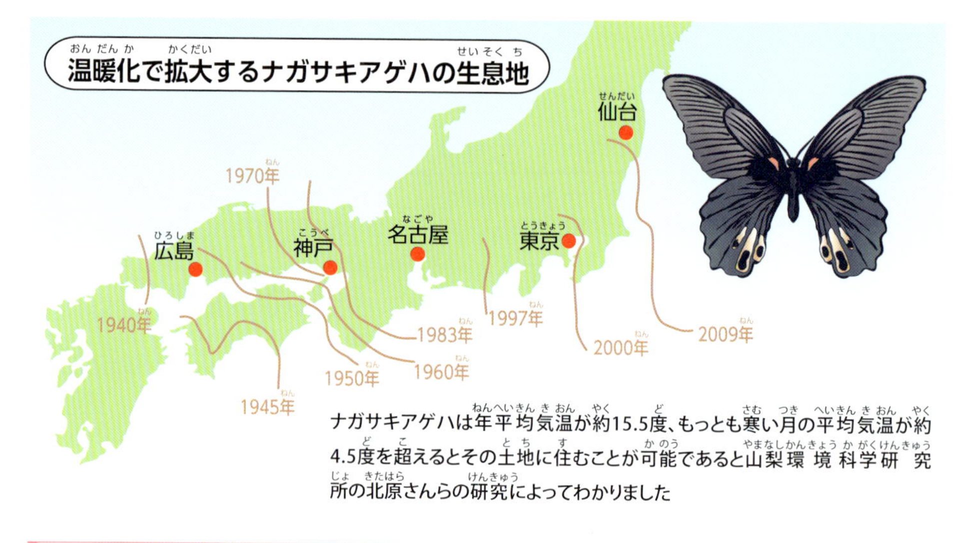

ナガサキアゲハは年平均気温が約15.5度、もっとも寒い月の平均気温が約4.5度を超えるとその土地に住むことが可能であると山梨環境科学研究所の北原さんらの研究によってわかりました

温暖化で北に住む場所を変えつつある動植物

温暖化によって気温が上がり、生態系が変化するということは、そこに住む動植物の種類が変わるということ。世界の変化はもちろん、私たちの住む日本でも、以前は考えられなかった異常な例が報告されています。それは、暖かい**西日本にしか見られなかった昆虫※**が、次第に北の地域でも見られるようになったこと。生態系は身近な部分がわずかに変化しても、全体を大きく狂わせてしまうだけに、将来が不安視されます。

CHECK! ワンポイント講座

西日本の昆虫／九州、南四国でしか見られなかったナガサキアゲハのほか、ツマグロヒョウモン、ムラサキシジミなど多くの蝶、さらにクマゼミなどが北に分布を広げています。

デング熱やジカ熱などを媒介するヒトスジシマカは、1940年代は関東までが北限でした。しかし2015年には青森県でも確認されいずれ北海道にも定着すると考えられています。

森林破壊から起こる生態系の破壊と地球温暖化

南北に長い日本。南は暖かく、北は寒いといった異なる気候風土を持つ地域があります。さらに、山岳地帯も多く、土地の高低差もあるので、さまざまな生態系にめぐまれています。森林でいえば、沖縄の西表島には東南アジアに見られるマングローブ※があり、北海道にはロシアなどの北国に見られるトドマツが群生しています。しかし現在、日本の生態系に異変が起きており、自然林や干潟が減るなど生態系そのものが根こそぎ奪われています。その主な原因は大きぼ開発や環境汚染。そしてそれが温暖化を誘発し、さらに環境破壊を進めるという負のスパイラルにおちいっています。

CHECK!

ワンポイント講座

マングローブ／汽水域(真水と海水が混ざった場所)に生える樹木のこと。多様な生物がすむことから海漂林ともいいます。日本国内では、オヒルギ、メヒルギ、ヤエヤマヒルギ、ヒルギダマシ、ヒルギモドキ、マヤプシキ、サキシマスオウノキ、ニッパヤシのマングローブを見ることができます。

西表島のマングローブ(オヒルギ林)

世界の陸地の1/4は森林です。森林は酸素を作り、水を蓄えます。
このまま環境破壊が進むと森林はあと100年程度で消滅してしまうと予測されています。

第3章 温暖化の影響を考えよう!

温暖化で農作物の産地が北上

温暖化で農作物が育てにくくなる?

(写真提供・福井県農業試験場)

温暖化で米が上手に育たない?

温暖化は農業にも大きな影響があるといわれています。米の生育に関してはすでに影響が出はじめていて、九州地方では玄米の一部に栄養が行き届かずに乳白化する白未熟粒(シラタ)という現象や、**胴われ米※**が以前より多く発生しています。稲はもともと暖かい地方の植物。冷涼な気候の東北地方ではこれまで、夏に気温が上がらないために起こる冷害に強い米を開発し栽培してきましたが、今後は高温でも育つ品種を育成するなどの対策が取られはじめています。

ワンポイント講座

胴われ米/身の中央にひび割れが入り、精米の時に割れやすくなってしまった米。炊飯すると割れ目からデンプンが溶け出して、おかゆのように水っぽくなります。

地球の平均気温が1度上昇すると、1年間で365度の熱量増加となり、農作物が影響を受けると考えられています。

北海道が米産地になる？

農林水産省農林水産技術会議が発表した「農林水産研究開発レポート（地球温暖化が農林水産業に与える影響と対策）」によると、2060年代に全国平均で気温が約3度上昇すると、水稲の収穫量は北海道では13%増加しますが、東北以南では減少すると予測されており、約10%の減少になると考えられています。また、農産物の生産地も北上されることが予測されます。以前はミカンが育つ北限（栽培に適した土地の北の限界）は神奈川県や千葉県でしたが、今はもっと北の地方でも栽培できるようになりました。リンゴの生産地も青森や長野が有名ですが、高温になると、育ちにくくなるかもしれません。その分、沖縄でしか作れなかった作物が九州や四国でも作れる可能性はあります。

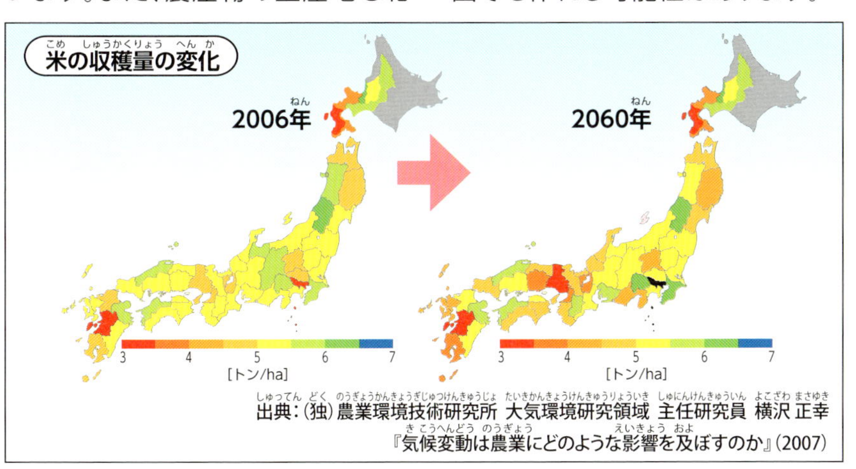

出典：（独）農業環境技術研究所 大気環境研究領域 主任研究員 横沢正幸
『気候変動は農業にどのような影響を及ぼすのか』（2007）

農作物のほか、水産物も危ない日本の食料事情

地球温暖化は農作物はもちろん、日本の漁業にも大きな影響を与えています。温暖化による海水温の上昇が海流やエサ環境などを変え、海洋生態系が大きく変化すると予想されています。このため、日本近海では100年後にはサンマ漁場がほとんど消滅するという説もあります。

地球NEWS

地球温暖化によって農作物が不作となれば、食料自給率38%の日本が受ける影響は深刻になると予想されています。

数百万人が被害を受けると予想される健康被害

ボクたちの健康は守れるか?

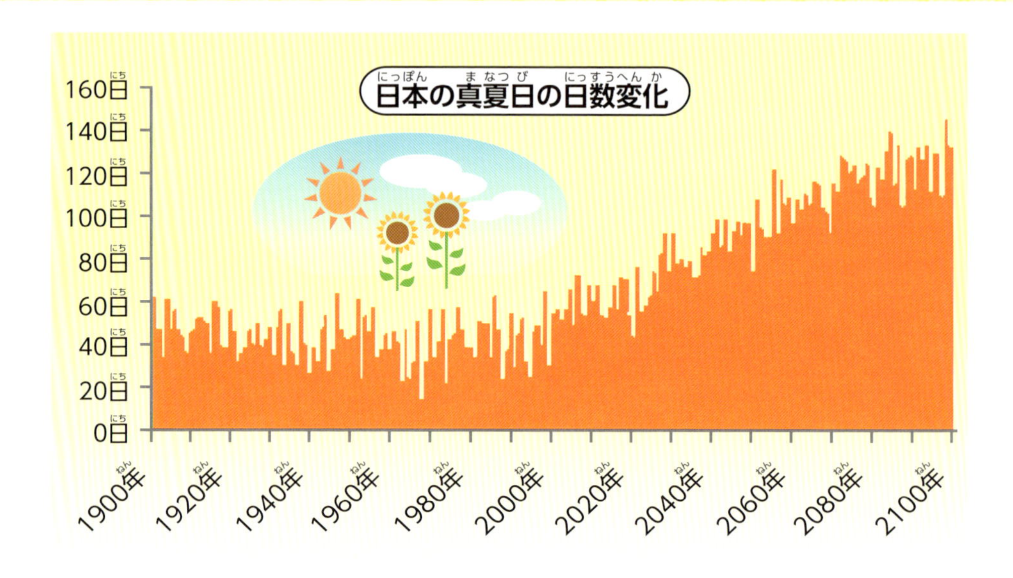

どんどん暑い夏の日が増えていく?

最高気温が30度以上になった日を真夏日と呼んでいますが、その真夏日が1990年以降から増えています。2000年を過ぎると、最高気温が35度を超えた猛暑日※の日数や地域も増えてきました。こうした気温上昇は日本だけでなく、アメリカやヨーロッパ※各地でも報告されています。

ワンポイント講座

猛暑日/2022年の7月1日に日本で40度を超える地域が6カ所ありました。2018年と2020年には41.1度と日本最高記録を更新しました。

ヨーロッパ/2003年、高温が続いたヨーロッパでは3万5千人以上の死者が出ました。特に40度を超える日もあったフランスの被害は深刻で、1万5千人の死者が出ました。

1927年7月22日に愛媛県宇和島市で40.2度を記録。現在の日本最高気温は2018年7月23日の埼玉県熊谷市と2020年8月17日の岐阜県多治見市で観測された41.1度です。

都市部はヒートアイランド現象で熱帯夜に

夏などに高温を記録したその日、大都市とその周辺地域では、夜になっても気温が下がりにくくなっています。都市部ではビルやアスファルトなどが太陽の熱をためやすく、また自動車やビルなどからは熱を放出して一層気温を上昇させています。これをヒートアイランド現象と呼んでいます。さらに都市部は郊外に比べて、熱を吸収してくれる植物や湖沼などの水辺が少ないことも気温が下がりにくい理由の一つになっており、ヒートアイランド現象に拍車をかけています。

コンクリートは熱を吸収するので、ビルが立ち並ぶ都市はどんどん暑くなっていきます

暑さで心配される健康への影響

夏はもちろん、それ以外の季節でも、このまま気温の上昇が続くと抵抗力の低い数百万の人々が**熱中症**※などによる健康被害を受けると予想されています。健康被害は気温の上昇にともなって被害が増大します。食料不足とそれにともなう栄養不足や洪水、火災、暴風雨などによる被災、また、熱波、干ばつなどによって**感染症**※の拡大による被害が心配されています。

CHECK!

ワンポイント講座

熱中症／人間の正常な体温は約36度～37度になっています。しかし、暑いところで長時間の運動や仕事を続けると、水分や塩分が失われて体が正常に働かなくなります。その結果、体温が上がり、ひきつけを起こしたり、脳貧血になって倒れてしまいます。

感染症／寄生虫や細菌、ウィルスなどの病原体の感染により起こる病気のこと。インフルエンザも感染症のひとつです。

地球NEWS

夏のピークを過ぎると対流活動が活発化し、激しいしゅう雨や雷雨による荒天（夕立、スコールなど）になりやすい傾向があります。

第3章
温暖化の影響を考えよう!

豪雨や洪水、干ばつで農作物が採れなくなるかも!?

食べ物や水が不足して貧しさや飢えも拡大する

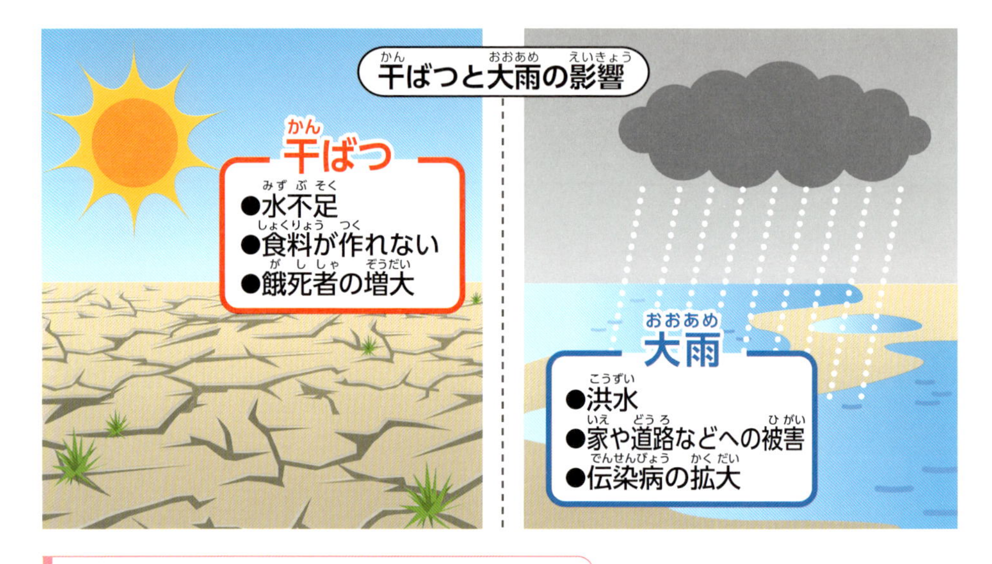

温暖化で雨は増える?それとも減る?

地球温暖化による差し迫った問題としてあげられるのが水不足です。温暖化によって地球の表面温度が上がると、土中に含まれる水や雪どけ水は、利用される前に蒸発してしまい、水不足におちいってしまいます。IPCCは今世紀半ばごろまで、高緯度地域や湿潤熱帯地域では海水温の上昇によって雨量が増加し、人類が利用可能な水量は10%～40%増え、反対にヨーロッパやアフリカ北部、アメリカ西部などの中緯度地域や乾燥熱帯地域では10%～30%減少すると予測しています。このように、一部では水量は増えても、一部では極端に少なくなる地域も出てきます。雨が降っても同じ場所に一気に降るため、一か所で洪水と水不足の両方が起こるというわけです。

気象庁の研究報告によると21世紀末の日本は沖縄と奄美諸島をのぞいて降水量が増え、降雪量は北海道をのぞいて減少すると考えられています。

干ばつと洪水の両方が人々を襲う

雨が降らないと**干ばつ※**になる地域が拡大し、豪雨や洪水の危険性も増大します。干ばつは特にアフリカ中部や中国で大きな問題になっており、土地が**砂漠化※**することで植物が育たなくなり、人が住めなくなると共に、より温暖化に拍車がかかっているのです。

ワンポイント講座

干ばつ／雨が降らないなどの原因でその地域に起こる長期間の水不足の状態をいいます。

砂漠化／植生におおわれた地域が不毛になっていく現象。一般的にいわれている砂漠は、いわゆる砂漠気候を特徴とする乾燥した地域を指すので、砂漠化とはちがうものです。

温暖化で争いが起きる？

干ばつや洪水によって**農作物※**ができなくなると、外国から食料を輸入しなければなりません。しかし、経済的に貧しい国では充分な食料を買うことができず、人々は飢えに苦しんでいます。また、石油などの燃料も買うことができず、すべての生活物資が不足しています。こうした状況によって、社会情勢は不安定になり、水や食料を求めて争いも起こっています。地球の総人口は約78億人。そのうちの約8億人が、食料不足に苦しんでいます。こうした状況は発展途上国といわれる地域で深刻になっており、南アジアやサハラ砂漠以南のアフリカでは、地球温暖化によってさらに食料不足が進むと予想されています。

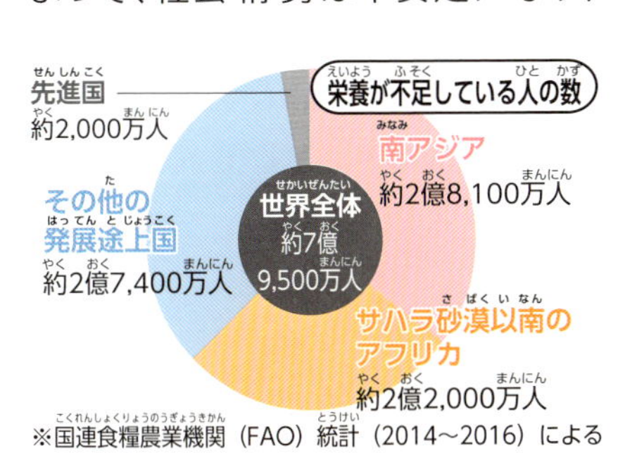

※国連食糧農業機関（FAO）統計（2014～2016）による

ワンポイント講座

農作物／現在、農作物を輸出している国でも、干ばつなどで収穫が減るとその値段は高くなります。そうなると貧しい国では食料不足になることは避けられなくなります。

干ばつになると農作物がとれなくなるだけではありません。
家畜の餌もなくなってしまうため、牛や羊、鶏も生きていけなくなるでしょう。

第3章
温暖化の影響を考えよう!

水面の上昇で日本から砂浜が無くなる可能性も

人の住める土地が少なくなる?

海面が1m上昇した場合の関東

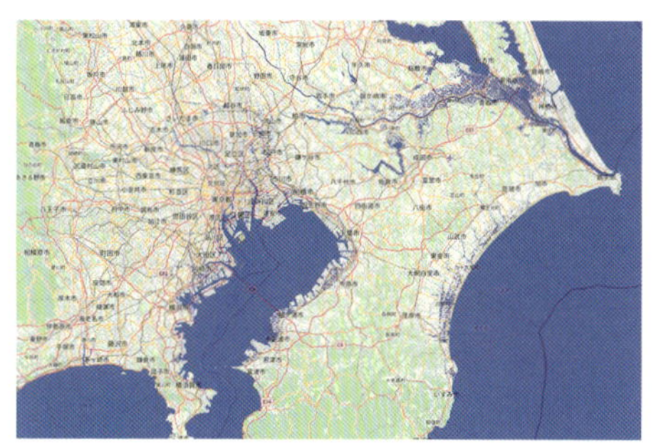

堤防を高くするなどの対策を行わなければ、東京では、江東区、江戸川区、墨田区、葛飾区のほぼすべてのエリアが影響を受けると予測

海面が5m上昇した場合の関東

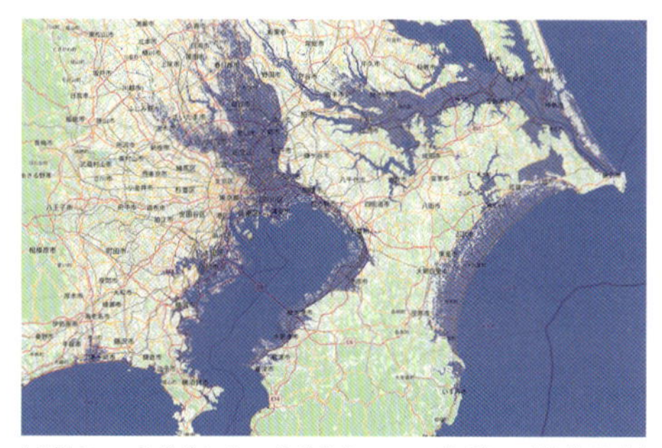

東京では江戸川区や足立区がほぼ水没し、現在内陸県である埼玉県は海に面することになります

もし日本付近の水位が1m上がったら

地球温暖化で問題になっているものの一つに海面上昇があります。気温が上がれば海水の温度も上がり、海水は水温が高いほど体積が増える=海面の水位が上がるのです。また、温暖化によって陸の氷が溶けるとその水が海に流れ込み、海の体積が増えて水位が上がります。地球全体の海を平均すると、1901年から2010年まで平均して1年あたり1.7mmずつ上がっています。そして近年はもっと上がり方が早くなっているのです。専門家の研究によると海面の水位は21世紀末までに最大で60cmほど上昇すると考えられています。日本周辺の海面水位が30cm上昇すると砂浜の半分が、仮に1m上がったら日本の砂浜の9割が無くなると考えられています。

温暖化によって北極の氷が溶けることが取り上げられますが、北極の氷の多くは海氷のため、海面の上昇には大きく影響を与えないと考えられています。

海抜の低い太平洋の島は温暖化によって沈むのか

水位が上昇すると太平洋の島々が沈むという考え方があります。実際に太平洋のツバルという国が2050年には沈むかもと日本でも大きく取り上げられました。確かに今後も水位が上がり続ければ海抜の低い太平洋の島々が沈む可能性があります。実際にツバルの首都であるフナフティ島周辺の水位は年に約2mmずつ上昇していて、満潮時に海岸が浸食されていたり、井戸水に海水が混じって飲み水として使えない、塩害によって畑作ができないという被害も明らかになっています。しかし、島が無くなる原因は水位の上昇だけではありません。フナフティ島は第二次世界大戦時にアメリカ軍が飛行場を建設するために土砂を掘り起こしたことで湧水が噴出するようになりました。また人口増加によって、居住に適さない海に近い場所まで利用している状況にあります。さらに生活排水による汚染によって、サンゴ礁を形成している「星の砂」と呼ばれるサンゴの砂が少なくなるなど、島の人間の原因もあるという研究結果も発表されています。

ツバルのフナフティ島上空からの写真

実はツバルのフナフティ島以外の島はサンゴが増えることで島が大きくなり、国としての面積は増えているという研究もあります。

第3章 温暖化の影響を考えよう!

温室効果ガスの削減目標を定めた京都議定書に注目!!

温暖化の原因を、どれだけ防げるか?

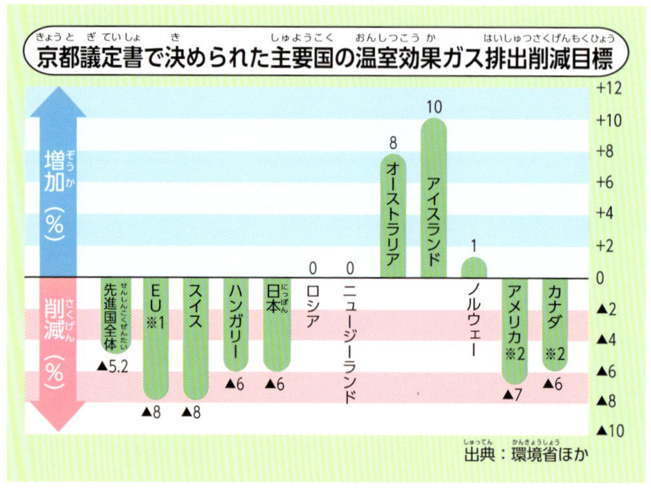

※1 EUはオーストリア、ベルギー、ブルガリア、チェコ、デンマーク、エストニア、フィンランド、フランス、ドイツ、ギリシャ、アイルランド、イタリア、ラトビア、リヒテンシュタイン、リトアニア、ルクセンブルグ、モナコ、オランダ、ポルトガル、ルーマニア、スロバキア、スロベニア、スペイン、スウェーデン、スイス、イギリス(当時)

※2 アメリカは批准しておらず、カナダは一度批准しましたが、京都議定書から脱退しています

みんなで温室効果ガス削減を決めた京都議定書

二酸化炭素などの温室効果ガスの増加の影響は世界的な問題で、一国だけが排出を規制しても効果がありません。そこで世界の国々が1997年12月11日、日本の京都に世界中から代表者が集まり、二酸化炭素などの温室効果ガスを減らすための数値目標を取り決めました。これが「京都議定書※」です。その結果、ヨーロッパ連合(EU)では基準年の1990年に比べて8%、日本は6%、先進国全体で5.2%を2012年までに減らす約束になりました。

ワンポイント講座

京都議定書/京都議定書の約束の中身は、2005年に実行に移されるようになりました。京都議定書に批准している国は192の国や地域(2005年の発効時点)となっています

京都議定書の大きな問題は、世界で最も温室効果ガスを排出しているアメリカと当時途上国として扱われていた中国が批准(議会で議定書を承認すること)をしていないことでした。

京都議定書の次、2020年以降のルールとして「パリ協定」

2005年に発効した京都議定書ですが、これは2008年から2012年までの温室効果ガス※削減の取り組みについてのルールでした。そこで2013年以降の取り組みについての議定書改正案が議論されましたが、批准国が少なく2013年以降のルールがない状態になりました。そこで2015年にフランスのパリで、2020年以降のルールを定める会議（COP21）が行われ『パリ協定』が採択されました。その会議では先進国と発展途上国が同様に目標設定をすることが求められ、長期目標として世界全体で気温の上昇幅を2℃未満（できれば1.5℃以内に）収められるよう、今世紀末までに人為的な温室効果ガス排出量を実質ゼロまで減らすことを求めています。

CHECK! **ワンポイント講座**

温室効果ガス／京都議定書に定められている温室効果ガスは、二酸化炭素、メタン、一酸化二窒素、ハイドロフルオロカーボン類、パーフルオロカーボン類、六フッ化硫黄の6種類になっています。

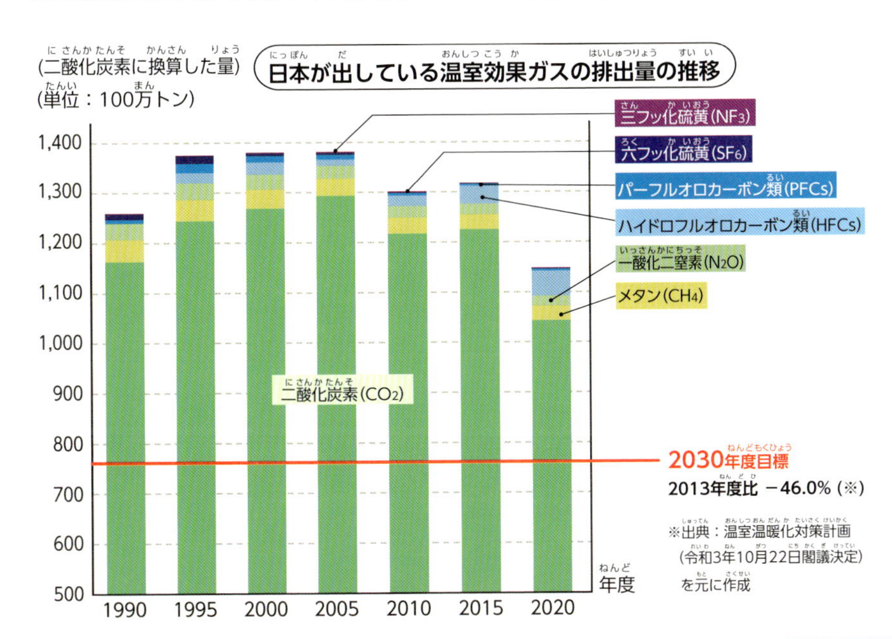

これまで大量の温室効果ガスを出してきたのは、主に先進国でした。しかし近年はインドやブラジルなど新興国と呼ばれるの国の排出量が増えています。

第3章
温暖化の影響を考えよう!

洪水で工場が動かないことも

水害で海外からものが届かない?

温暖化で食品や工業製品の輸入に影響が

農水産物が豊富で原材料を安定的に安価に調達できることや、インフラが整備されていること、中国の人件費の高騰などさまざま理由によってタイやベトナムなど東南アジアの国々には多くの食品加工の工場があります。また近年は自動車製品の部品をはじめ電子機器など工業製品も多くつくられていています。しかし、地球温暖化の影響か、**モンスーン**※が強くなり大雨による洪水の影響で工場が停止する事態に。食品の輸入ができないことはもちろんですが、**サプライチェーン**※を導入している自動車業界では、部品が足りなくて自動車が組み立てられないという事態におちいっている事例も見られるなど、温暖化の影響は世界中のものの流れにも影響を与えているのです。

水没した2011年のタイのローヂャナ工業団地。ホンダを始め、多くの企業が操業停止しました。

ワンポイント講座

モンスーン／季節風を意味する言葉ですが、インドや東南アジアでは、夏の季節風による雨季、または、雨季に降る雨のことをさします。

サプライチェーン／製品の原材料・部品の調達から、製造、在庫の管理、配送、販売、消費までの全体の一連の流れのことをいいます。また、企業同士の取引や製造・部品の在庫などの状況をITシステムを使って把握・予想し、調達・生産の最適化を図ることをサプライチューン・マネジメントといいます。

地球NEWS
2011年にタイで発生した大洪水の被害を受けた工業団地は7か所で、その内日系企業では全725社の61.6%である447社の企業が多大な影響を受けました。

第4章

温暖化以外の問題も！

第4章
温暖化以外の問題も!

「酸性雨」ということばを聞いたことがあるかな?

「雨」の質を変える空気のよごれ!

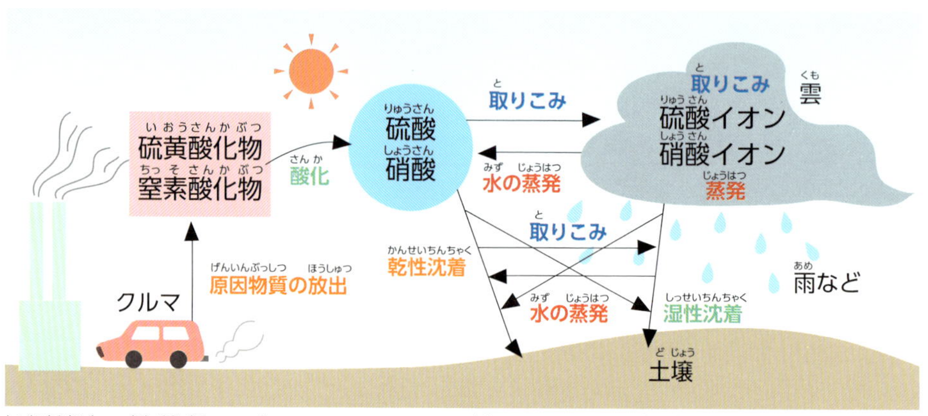

湿性沈着とは、雨、雪、霧として降りてくるものをいいます。雨にとけこまないで粒状やガスの状態で降りてくるものを乾性沈着といいます。「酸性雨」という言葉には、この乾性沈着も含まれています

なぜ雨が酸性になるの?

雨の主成分は水ですが、そのほかに窒素、酸素、二酸化炭素など大気の成分がとけこんでいます。この中に「硫酸イオン」や「硝酸イオン」などが含まれ、強い酸性を示す雨になることを「酸性雨」といいます。酸性雨は世界中で深刻な環境破壊の一つとして問題になっています。酸性雨が生まれる理由は、石炭や石油などの化石燃料の燃焼や自動車の排気ガスなどによって、硫黄酸化物(SOx)や窒素酸化物(NOx)が大気の中に放出されるためです。これらのガスが雲の粒に取りこまれ、複雑な化学反応を繰り返し、「硫酸イオン」や「硝酸イオン」などに変化して地上に雨として降りてきます。

酸性雨の原因となる硫黄酸化物(SOx)は、火山の噴煙のような自然現象によって発生することもあります。

酸性雨の強さはどうやってはかるのかな？

酸性の強さはpH（ペーハー）※という単位を使って表します。このpHの値が小さいほど酸性が強く、逆に値が大きいほどアルカリ性に近いということになります。中性はpH7で、雨は、この値が5.6以下の場合に酸性雨とされることが多いです。ＥＡＮＥＴ※測定地点においての日本の2019年度の平均pHは4.85で、日本全国で酸性雨が降っていることになります。

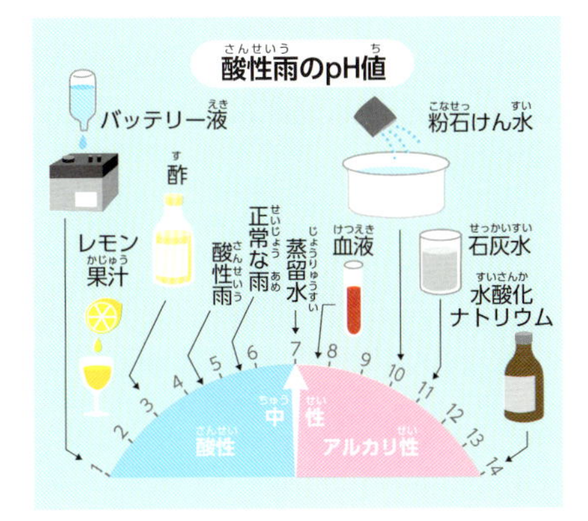

CHECK! **ワンポイント講座**

pH（ペーハー）／水素イオン濃度指数のことで、物質の酸性、アルカリ性の度合いを示す数値。

ＥＡＮＥＴ／「東アジア酸性雨モニタリングネットワーク」の略。東アジア圏の酸性雨による環境破壊を防止するためつくられました。現在では日本、中国、インドネシア、韓国、ロシアなど13か国が参加しています。

酸性雨は世界にどんな悪影響を与えているのだろう

酸性雨は、雨が植物の葉や枝や幹を痛めつけることがありますが、それ以上に恐いのは「土」にしみ込むことです。土壌が酸性化すると、土の中の微生物やミミズが生存できなくなってしまいます。栄養のある土壌が作れなくなり、野菜が育たない、樹木の立ち枯れなどが起こります。また、目に見える酸性雨の被害では、酸に弱い大理石や金属などが傷んだり、世界遺産の遺跡や建物、石像などに影響を与えています。

酸性雨や大気汚染で大理石の汚れや傷が指摘されているタージ・マハル

酸性雨は川や湖、沼のpHを低下させたり、土壌から流れ出す水が「死の湖」を作る恐れもあります。

第4章
温暖化以外の問題も！

海、川、湖の水がよごれる原因はなんだろう？

「水の惑星」と呼ばれる私たちの地球！

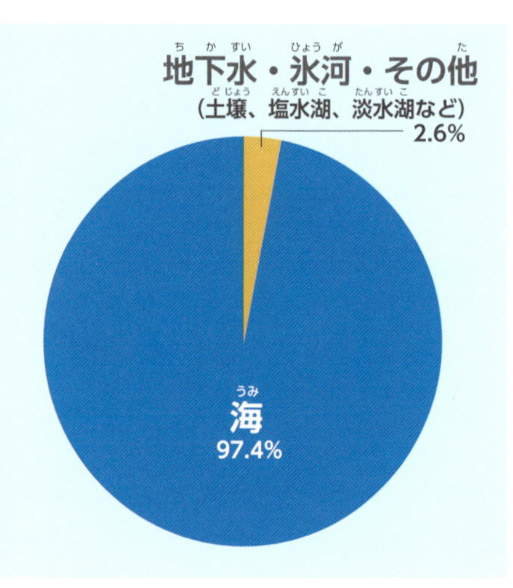

「水の惑星」を作っている"海"を知ろう

地球の面積は5億994万9,000ｋ㎡。このうちの水でおおわれている面積は、3億6,105万9,000ｋ㎡で、全面積に占める割合は約70.8%になります。つまり、私たちが住む地球の約70%が海によって作られているのです。地球に存在する水圏※ですが、海水が水圏の97.4%を占めており、残りのわずか2.6%が氷河、地下水、土壌水、塩水湖、淡水湖です。地球、人類にとって、「海」はとても大切なのです。

ワンポイント講座

水圏／地球の表面近くで水が占めている部分のこと。大気圏、岩石圏とともに地球を構成するために必要な要素の一つです。

地球NEWS 川や海は水をきれいにする自然浄化作用を持っていますが、その浄化力も人間が出す汚染物質の前では限界を超えてしまったようです。

海や川のよごれの主な原因は各家庭の生活排水！

海や川のよごれの原因は、家庭から出ている**生活排水※**と工場や事業場からの排水などです。しかも、生活排水はその原因の約60%を占めています。工場や事業場からの排水は法律などの規制により、その水質も大変よくなっています。よって、私たちが毎日、生活の中で出す生活排水が海や川をよごしているのです。生活排水でも下水道が整備されたところでは、下水処理場でよごれをいくつもの段階にわけて取りのぞき、きれいになった水を海や川に流しています。下水道の普及率は80.2%、100人のうち80人が下水道を使っていますが、普及率が18.6%の徳島県のように下水道普及が進んでいない地域もあります。生活排水による水質のよごれを防ぐには、水を大切に使うことはもちろん、食べ残しは流し台から流さない、食用油はそのまま排水溝に流さず、使いきるようにする、洗剤の使う量を減らすなどいろいろな工夫が必要です。一人ひとりが努力すれば、その分、水はきれいになっていきます。

CHECK! **ワンポイント講座**

生活排水／台所、洗濯、風呂など日常 生活から出る排水のこと。トイレからのし尿排水もふくまれます。

タンカーなどの事故による「原油」の大きぼな流出は、海に大きなダメージを与えます。油が一度海に流れると、元の状態にするためには莫大な費用と時間がかかります。

プラスチックを私たちは食べている?

第4章 温暖化以外の問題も!

プラスチックごみが生態系をこわしている

自然に還らずに残り続けるプラスチック

主に石油を原料にして食器や家具、服などどんなものにもなる「プラスチック」はとても便利なものですが、**自然に分解※**されにくく不用意に捨てられたものがたまり続けているのです。世界中にあふれるプラスチックごみの内、リサイクルされたものは約9%に過ぎず、12%は焼却、残りの79%は埋め立て、もしくは海や山に投棄されています。2050年には120億トンのプラスチックごみが埋め立てや投棄されるという研究報告もあります。

ワンポイント講座

自然に分解／炭素を含む物質や液体を有機物といい、自然の中にいる微生物(バクテリア)は、有機物を食べて炭素と水に分解する働きを持っています。プラスチックも有機物の一つなのでいずれ分解されますが、分解されるのに数百年から数千年掛かると言われています。

世界中の海に流れているプラスチックごみ

プラスチックはもとは英語で「いろいろな形にできる」という意味です。しかし現在プラスチックといえば、主に石油からつくられている人工的な物質を指します。

陸や海の生き物、そして人間もプラスチックを食べている？

最近はプラスチックが太陽の光（紫外線）や波の力、海の塩分などによって細かく砕けて、海にたくさん漂っていることがわかってきました。これらのとても小さな破片を、プランクトンのエサとともに魚や海の生き物が食べています。実際に日本や海外の研究者がウミドリや魚の胃袋から小さなプラスチックを発見したことを報告しています。

直径5mm以下の破片をマイクロプラスチックといいます。マイクロプラスチックの中には砕けたもの以外に洗顔料や化粧品、歯磨き粉などに使われるマイクロビーズや、洗濯する時に出る化学繊維のくずなどもあります。マイクロプラスチックを食べた生物を別の生物が食べ、そしてその生物をまた別の生物が食べる。その中で私たち人間の体の中にも知らない間にマイクロプラスチックが入り込む可能性があり、その影響を研究する専門家もいます。

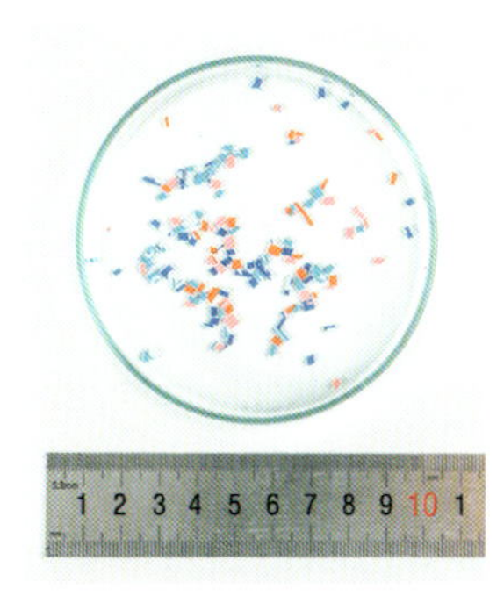

数十年以上も海中にとどまるマイクロプラスチック

プラスチック片を摂取している海の動物たち

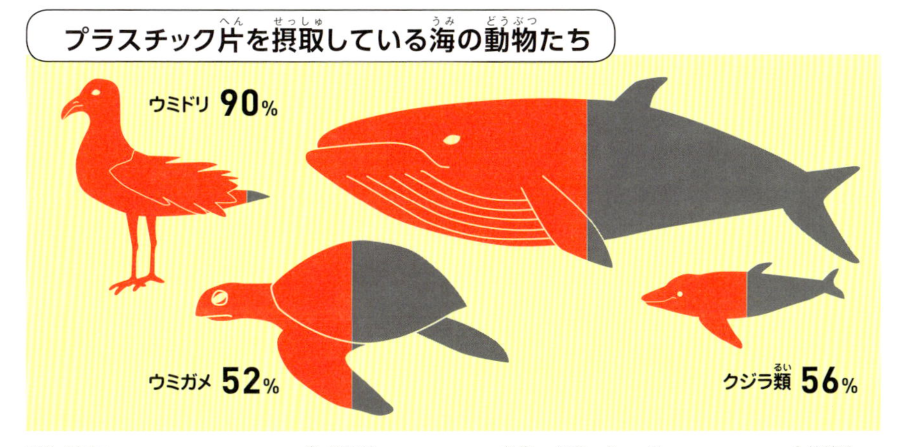

出典：ＮＴＴグループサイト つなぐコラム「第4回海洋プラスチックごみの問題と、解決に向けて私たちができること」（三沢行弘）
海洋プラスチックごみに関する既往研究と今後の重点課題（環境省水・大気環境局水環境課海洋プラスチック汚染対策室）

プラスチックによる海洋汚染は地球規模で広がっていて、人間が少ない北極圏や南極でも海流にのって運ばれたマイクロプラスチックが観測されています。

森林の減少がもたらす、生き物への影響とは？

第4章
温暖化以外の問題も！

森林が地球から急速に消えてゆく！

10年ごとの地域別森林面積の年間純変化

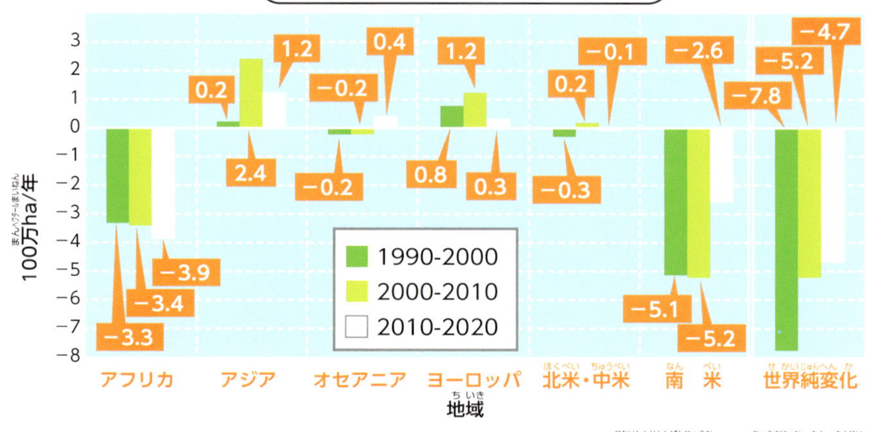

世界森林資源評価2020の調査結果を元に作成

地球の森林のどの部分が減っているのだろうか

地球の陸地の25%を占めるという森林。オセアニア、ヨーロッパ、北米・中米では増減ゼロに近いということがグラフでもわかります。また、ヨーロッパでは、森林の面積が少しながら増えています。これに対し、アフリカ、アジア、南米での減少面積の広さが目立ちます。中でも熱帯※地域の発展途上国の減少率が非常に大きいのがわかります。この地域の森林は、熱帯雨林という原生林であり、自然のままの森林が消失しているということになります。

ワンポイント講座

熱帯／年中、温暖な地域のこと。赤道を中心に北緯23°26分と南緯23°26分にはさまれた帯状の地域を指します。

地球NEWS

日本で利用される木材の多くは、海外から輸入されており、国内の木材消費量の約8割が外国の木材です。私たちの生活は世界の森林と大きく関係しています。

なぜ熱帯雨林が失われている?

熱帯雨林が減少しているのは「焼畑耕作のために原生林を使ってしまう」、「薪や炭を作るために過剰な伐採をする」、「森林を放牧地や大きぼな農地に転用する」などいくつかの理由があります。また、酸性雨や温暖化による森林の荒廃も原因の一つです。

人や動物を育てる、熱帯雨林の減少

熱帯雨林地域の高温多湿な天候は、地球上で最もいろいろな種類の生きものが生存する生態系をつくっていて、地球上の生物の半数の種類がそこに生きているとまでいわれています。まさに「動物の天国」ともいえる熱帯雨林の減少は、多くの種類の生きものの絶滅につながっていくことなのです。なかには、これから20年間で5〜10%の「種」が絶滅すると予測する人もいます。森林の大きな役割の一つに、二酸化炭素を吸収・固定するという働きがあります。森林の減少は、このはたらきに直結しています。

東南アジアのスマトラ島とボルネオ島にのみ生息する「森の賢者」ともよばれるオランウータン。繁殖スピードが遅く、森林の伐採によって生息圏が急激に減少していることで個体数が減っています。

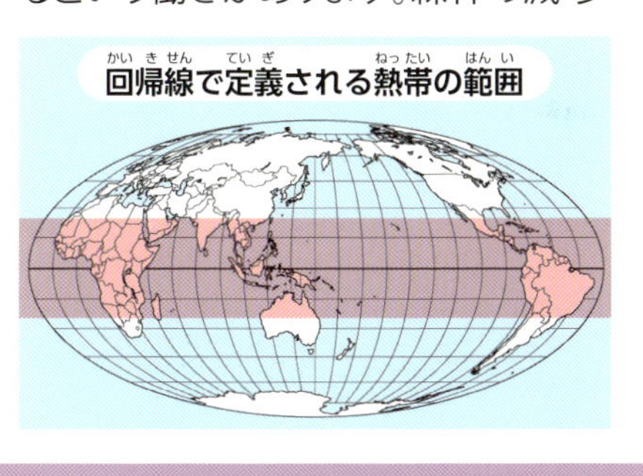
回帰線で定義される熱帯の範囲

また、森林は水を貯えるという大切なはたらきをしています。森林の土壌はスポンジのようにすき間がたくさんあり、このすき間に水を貯えられるようになっています。また、森林から流れ出る水は養分を含んでおり、これが海に流れることでプランクトンが育ち、豊かな海を作ってくれるのです。

地球NEWS 森林に関する初めての世界的な合意は、1992年に開催された地球サミットで採択されました。その後も森林保全の取り組みは続いています。

第4章 温暖化以外の問題も！

「生態系のピラミッド」について知っておこう

くずれていないかな？生きものたちのバランス

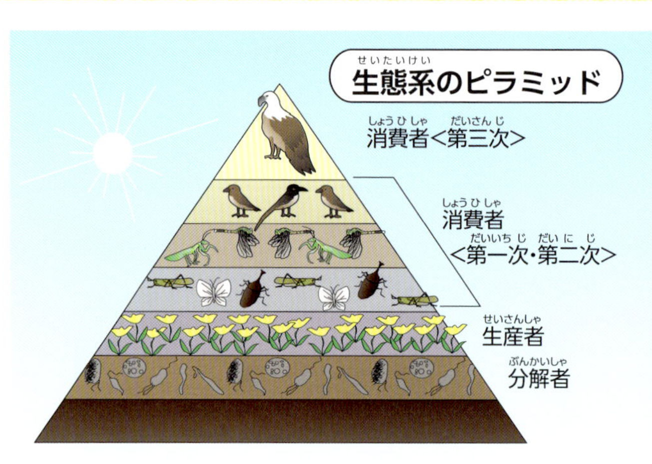

イネ科植物（生産者）を食べるネズミ（第一次消費者）と、そのネズミを食べるヘビ（第二次消費者）がいて、そのヘビを食べるワシは第三次消費者となります。海だと植物プランクトンから始まる生態系のピラミッドができます

ピラミッドだから上部ほど生物の数は少なくなる

生態系※のピラミッドは、食物連鎖（食べる・食べられるという連鎖）に関わる生物を積み重ねていくとできあがる図です。生産者・消費者などの言葉を使って表します。植物は生物の中で唯一の生産者で、光合成によって太陽エネルギーを獲得して、有機物（炭水化物）を生産します。その生産物を食べる動物が第一次消費者で、その第一次消費者を食べる動物が第二次消費者となって連鎖していきます。分解者とは、すべての生物が死んだときの体やはいせつ物などを処理する微生物や細菌類、菌類のことです。

CHECK! ワンポイント講座

生態系／川、海、草原、森林など、あるまとまりを持った自然環境と、そこに生息するすべての生物で構成される空間を生態系（自然生態系）といいます。

植物は太陽エネルギーをつかまえて、確保している大切な生物。植物が生息しなくなれば、地球上の生物は死滅してしまうでしょう。

人間はピラミッドのどの位置にいるのかな？

人間は生態系のピラミッドのどの位置にいるかというと、専門家の中でも意見が分かれます。人間を食べる天敵が存在しないので、人間はピラミッドの頂点に立つという考えがあります。もちろん、たまにニュースで見るように、海にいるサメや山にいるクマなどに人間がおそわれることはありますが、これらの生き物は人間を専門に食べる生物ではないので天敵とはいえません。また、人間は、自然環境の植物や動物をとるよりも、畑や家畜を利用して食べる物を確保することの方が多いので、ピラミッドの外にいるという考えもあります。食べる、食べられるという関係ではありませんが、未知のウィルスとの遭遇による被害や、温暖化などによる自然環境の悪化による被害が、人間の天敵といえるかもしれません。

生態系のピラミッドと人間の関わり

地球46億年の歴史のなかで、この生態系のピラミッドには多くの「種」が登場し、また多くの**「種」が絶滅**※して、現在の姿になっています。ところが、人間は産業革命や人口増加で、この生物圏に良くない影響を与えています。有害物質の流出や森林の開発などで、生物の多様性の減少に大きな影響を与えているのは確かでしょう。

豊かな生態系が保持されている北海道の知床は、世界遺産に登録されています

CHECK! **ワンポイント講座**

「種」の絶滅／日本でも明治時代になるとニホンオオカミにはじまり、さまざまな動物が絶滅しました。またオオカミの絶滅はシカの増加による周辺住民への農作物被害など、生態系のバランスの難しさをあらわしています。

生物多様性条約（生物の多様性に関する条約）は1992年6月の地球サミットで157か国が条約に署名。2018年12月現在194カ国とEU、パレスチナが参加しています。

第4章
温暖化以外の問題も!

草や木など植物が育たない土地が増えている

地球の陸地が砂漠化している

一面に砂が広がるところだけが「砂漠」ではなく、ごつごつした岩石が広がり、まとまった植物が生えていない地域も含まれます

「砂漠」と「砂漠化」は大きく違います

砂漠とは、降水量が少ないために土壌が乾燥して、生育している植物の集まりがほとんどない地域のことです。「**砂漠化※**」というのは、もともと砂漠であった地域は対象になりません。人が住んでいたところや植物の生えていたところが、気候変動や人間の活動によって、土地が荒れ、自然のサイクルがこわれ、不毛の大地に変化することを「砂漠化」といいます。この「砂漠化」は、乾燥地、半乾燥地、乾燥半湿潤地で起きています。

ワンポイント講座

砂漠化／中東地域はかつて植物が豊かでしたが、作物を作るために水を灌がいという方法で吸い出しすぎて土中の塩分が多くなり砂漠化しました。

砂漠化の問題は、開発途上国の貧困、食料、雇用、教育、人口などのさまざまな課題と大きく関係しています。

「砂漠化」が起きる原因を知ろう

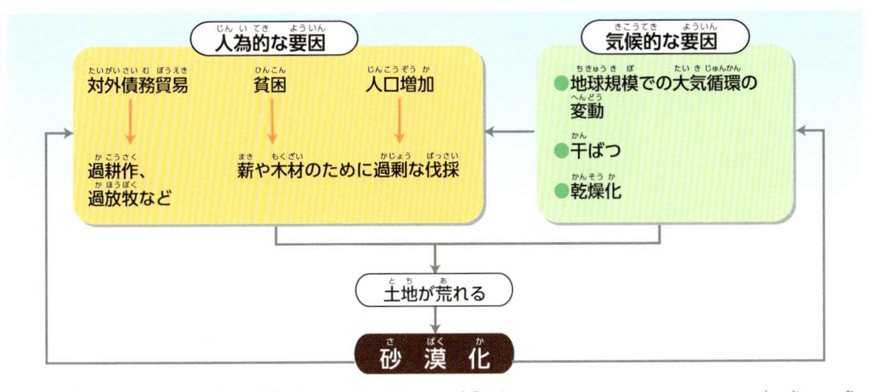

砂漠化は気候的な要因よりも人間の活動により起こる割合の方が大きいです。ヤギや羊などの家畜を過剰に飼育したり、燃料用の薪や住宅用の木材を過剰に伐採する、また過度な原野の開墾などが要因です。これらによって土地が荒れると、土が風に運ばれてしまったり、せっかく雨が降っても土に厚さがないため雨を貯える力もなく、逆に雨に土が流されるなどの現象が起こり、砂漠化します。

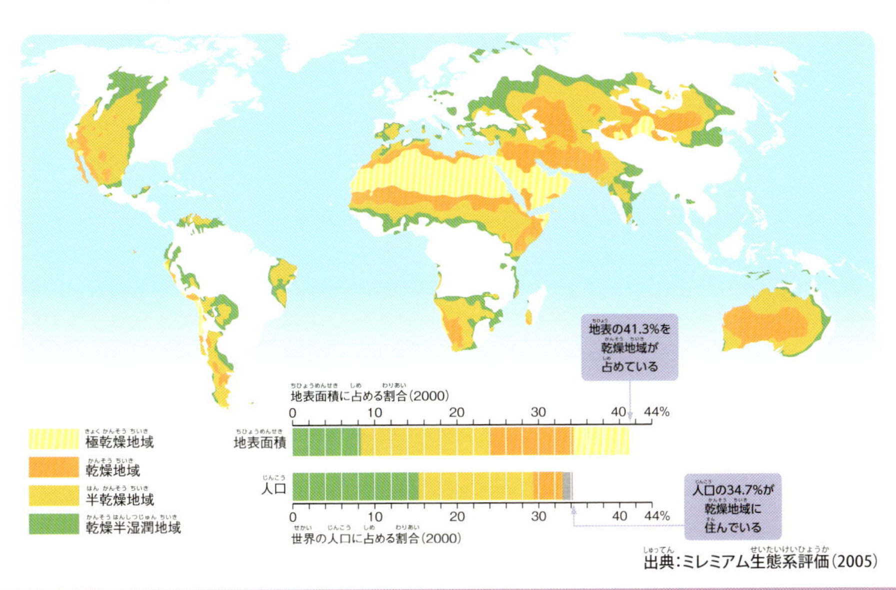

出典：ミレミアム生態系評価（2005）

いったん砂漠になってしまうと、回復は容易ではありません。
よってまだ影響を受けていない土地の荒れ方を防ぐことが大切になっています。

今日あった食料も、明日はないかもしれないという不安

今、飢えに苦しむ子どもたちがいる

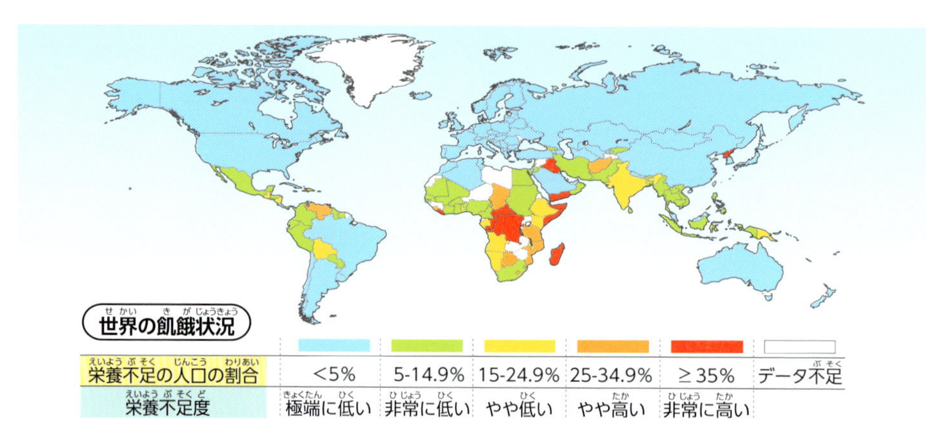

栄養不足の人口の割合	<5%	5-14.9%	15-24.9%	25-34.9%	≧35%	データ不足
栄養不足度	極端に低い	非常に低い	やや低い	やや高い	非常に高い	

出典：WFP

8億人の人が飢えと栄養不足に苦しんでいる

私たち日本人のほとんどは、お腹が空けば近くの飲食店で食事をしたり、コンビニやスーパーで買い物をすればよいと思っています。しかし、世界にいる8億人以上の人たちの空腹はずっと続くのが現状で、このうちの半分近くが子どもたちです。国際連合が発表した報告書によると、10年以上、着実な減少を続けてきた世界の飢餓人口は2016年に再び増加に転じました。この主な原因として、武力紛争の拡大と気候による打撃が挙げられています。5歳未満の子ども約5,200万人が**消耗症**※に苦しめられ、1億5,500万人が**発育阻害**※に陥っているとしています。

ワンポイント講座

消耗症／その子供の身長に対して体重が少なすぎる状態。
発育阻害／年齢相応の身長に達していない状態。

WFP（国連世界食糧計画）は1961年に設立された食糧支援機関で、世界最大の人道支援機関です。本部はFAOと同じローマにあります。

飢餓やそれに関する病気で、毎日25,000人の命が…

この25,000人のうち5歳以下の子どもは14,000人で、半分を超える56%を占めています。時間に直すと、6秒間に１人の子どもが飢えによって命を落としています。その死者数は、エイズやマラリア、結核による死者の合計数より多く、いまだに世界第一位の死亡原因です。

飢え、そして餓死とは、どんな状態になるのでしょう

空腹が続くと、体は自分の脂肪や体の組織から栄養をとりはじめます。さらに長い時間食べずにいると、体重は50%も減ってしまうかもしれません。今、40キロの人は20キロ、30キロの人は15キロになることを想像して見てください。さらに、肌は薄く、硬く、青白くなります。髪の毛はパサパサになり乾いて少なくなり、かんたんに抜け落ちるようになります。食べ物を食べなくなってから、約8～12週間後には餓死してしまいます。

FAO＝国際連合食糧農業機関の取り組み

FAOは国連の専門機関で、1945年10月に栄養・生活水準の向上、食糧 農産物の生産効率改善、農民の生活向上を目的として設立されました。加盟国は194ヵ国とＥＵで、各国が国の豊かさに合わせて分担金を払うことで、運営されています。現在は、「世界の誰にでも食べ物が行き渡るようにすること」などを目的に、地球上から餓えと貧困をなくすために農業のノウハウなどを指導する活動などを行っています。

WFPによる農業指導事業

2022年2月にロシアのウクライナ侵攻では、両国とも穀物輸出国のため、世界全体で食料の価格が高騰。気候変動の影響もあり、貧しい国では以前より食料不足に陥っています。

第4章 温暖化以外の問題も!

温暖化の原因となる石油や天然ガスもなくなれば困るのも事実?

いつか化石燃料がなくなる

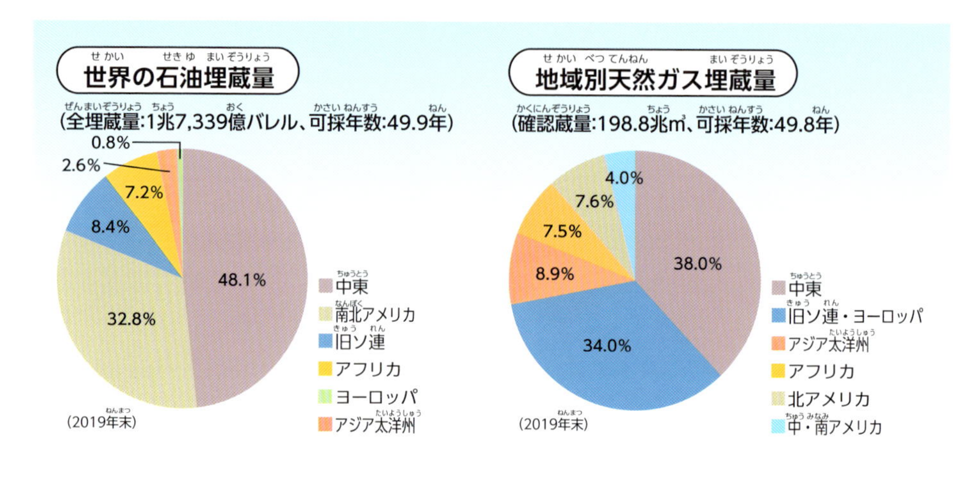

現在ある、石油の量はどうなっている?

原油、天然ガスを含めた化石燃料は、有限であり、いずれなくなってしまうと考えられています。まず石油の確認埋蔵量を見ておきましょう。確認埋蔵量とは、現在も地下に埋蔵されており、将来地上にくみ出すことが可能な石油の量のことです。2000年末のデータでは9086億バレルの埋蔵量で後25年で石油は採れなくなるという状況でしたが、2019年のデータでは1兆7,339億バレルで後49.9年まで石油は採れるという試算となっています。これはアメリカのシェールオイル、ベネズエラやカナダにおける超重質油の埋蔵量が確認されたからで、可採年数は増加傾向となっています。現在世界最高の埋蔵量があるとされているのが南米のベネズエラで、以前はサウジアラビアを筆頭に中東が石油埋蔵量の過半数を占めていましたが、現在は48.1%まで下がっています。

石油の使われ方には、電力をつくるときの重油、飛行機に使うジェット燃料、身近なところではガソリン、灯油などがあります。

何故化石燃料の産出量は回復したのか

天然ガス※も埋蔵量が198.8兆㎥で可採年数は49.8年と以前より多くなっています。これは在来型石油とは異なった手法を用いて生産される**シェールオイル**※の利用や、最新技術を用いて石油やガス（シェールガス）の採掘が可能になったからです。しかし、埋蔵量が増えたからとはいえ資源としては有限で、温暖化の問題などもあり、効率よく使うことが求められています。

> CHECK! **ワンポイント講座**
>
> **天然ガス**／可燃性の炭化水素ガスのことで、日本にも800年分の埋蔵量があると推測される南関東ガス田があり、千葉県の九十九里で採掘されています。
>
> **シェールオイル**／石油や天然ガス資源とは異なる非在来型オイルが含まれているシェール（頁岩）と呼ばれる岩石から取り出す油です。従来の石油やガスの層よりも深い場所にあるため採算性が悪かったのですが、効率よく採りだす技術によって採掘されるようになりました。

主な非在来型原油・ガスのイメージ図

出典／経済産業省資源エネルギー庁HP（図【第112-1-4】）

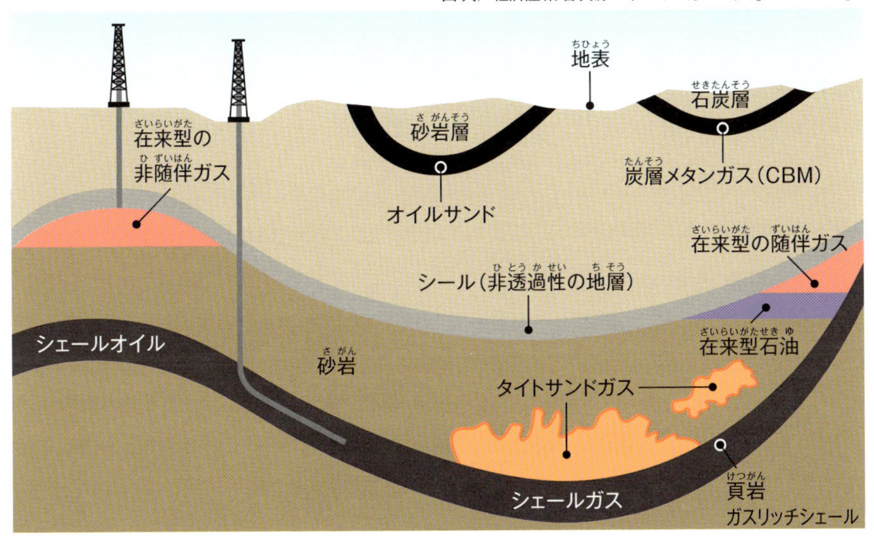

地球NEWS 石油からとれるナフサは、プラスチック（ポリ袋やペットボトル）、ナイロン、タイヤ、ペンキ、シャンプー、薬などの原料になっています。

国としての対策はもちろん、自分でできる予防も大事

大気汚染による健康被害が広がる!

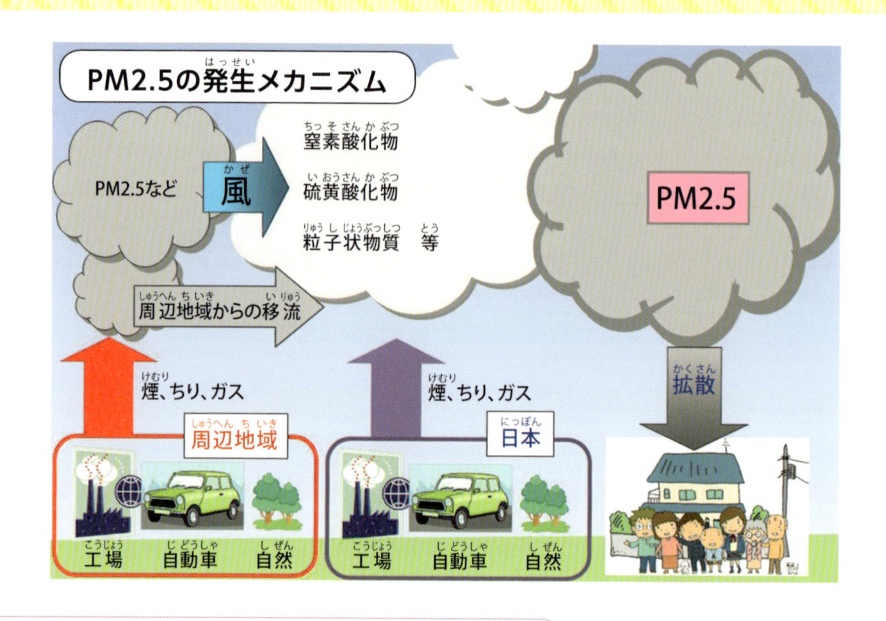

PM2.5ってなに?どんな影響があるの?

PM2.5とは、非常に小さな粒子で呼吸器の奥まで入りやすく、健康への害が懸念されている物質です。髪の毛の30分の1程度の目には見えない大きさで、肺に入ると喘息や気管支炎になったり、血液に侵入して**不整脈**※や**動脈硬化**※になる危険性が高まります。PM2.5の濃度が高い地域で肺機能の発達が遅れた子どもが多く観察されました。また世界保健機関(WHO)は肺がんになるリスクも上がると発表しています。

ワンポイント講座

不整脈／心臓のリズム(調律)に異常が出て、脈が速くなったり遅くなる病気。
動脈硬化症／血管の動脈が硬くなり血管が詰まってしまう病気。

WHOの研究報告によると、世界の人口の92%がWHOの基準値を超す汚染された大気の中で生活し、年間約300万人が汚染に関連して死亡しているという。

発生する原因は？どこから飛んでくる？

PM2.5は鉱物の精製、自動車・船舶・航空機、ストーブの使用といった「物の燃焼」から直接発生します。また、石油などの燃焼によって排出される物質が、大気中で光やオゾンと反応することによっても発生します。日本国内でも発生しますが、主な原因として中国の大気汚染による影響が大きいといわれています。中国では大気汚染の問題が深刻化しており、これは中国の急速な経済成長と、本来規制されるはずの有害物質が何も規制されずに流された結果です。その大気汚染の元となっているPM2.5が、偏西風に乗って日本にやってくるといわれています。飛散時期としては冬〜春に多く、**黄砂**※に付着して飛んでくると考えられています。

CHECK!
ワンポイント講座

黄砂／中国大陸にあるタクラマカン砂漠やゴビ砂漠などの砂が強風で舞い上がり、ジェット気流（偏西風）という強い風の流れに乗って日本へやって来ます。

吸い込まないようにするには？身近な対策方法とは

PM2.5や黄砂が多い時は、なるべく外にでることを控えましょう。やむを得ず外出する時はマスクをして、帰宅時の手洗いやうがいを徹底します。またマスクを付ける際は顔とマスクの間に隙間ができないよう、顔にフィットするPM2.5対応のマスクを着用しましょう。家では布団や洗濯物を外に干さないようにし、外からの侵入を防ぐためできるだけ窓を開けないようにしましょう。そのほか、PM2.5に対応した空気清浄機を使うのもよいとされています。

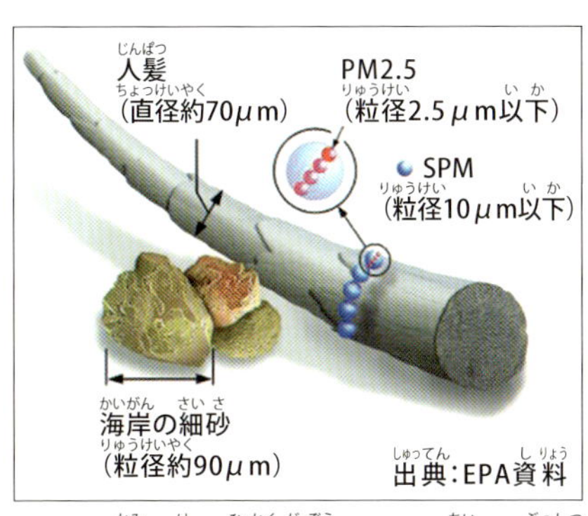

PM2.5と髪の毛の比較画像。どれだけ小さい物質なのか分かります

PM2.5は人為的な理由だけではなく、火山の噴火による自然起源の物もあります。

第4章 温暖化以外の問題も!

対策を取らずに健康への被害が増加中

途上国への公害輸出が増えているぞ!

産業革命からずっと続いている公害問題

産業革命以後、文明の発展と共に私たちの生活は豊かになりましたが、公害という問題が私たちの頭を悩ませています。産業革命発祥の地であるイギリスでは、1万人以上の死者を出したロンドンスモッグ※が発生し、日本でも1890年ごろの足尾銅山鉱毒事件をはじめ、四大公害病※などさまざまな公害事件がおきました。先進国は安全対策をとりましたが、それは工場を海外の発展途上国に移動しただけという問題もあります。これを「公害輸出」と呼び、工場から出た廃液や煙による土壌、水質汚染を引き起こし、現地の人々の体をむしばんでいます。また、急成長した中国の環境問題は日本にも被害をおよぼしていると考えられており、国を超えた対策を必要としています。

工場を造ると生産性は高まりますが、排気ガスや廃液などの環境汚染が進みます

ワンポイント講座

ロンドンスモッグ／1952年にロンドンで起きた史上最悪きぼの大気汚染による公害事件。現代の公害運動や環境問題に大きな影響を与えました。

四大公害病／高度経済成長期に発生した公害病で、イタイイタイ病、水俣病、第二水俣病(新潟水俣病)、四日市ぜんそくのこと。

毎年発生する黄砂は、中国の砂漠化の広がりと共に降る量は増えていて、特に東アジア各国では健康や経済活動に影響が出はじめています。

地球の力を有効利用！

第5章 地球の力を有効利用！

自然界の営みによって発生し、半永久的に利用可能

再生可能エネルギー

太陽光や風力は、いくら使っても減る心配のない大切な資源だった！

再生可能エネルギーは太陽光や風力など自然界でくり返し起こる現象によって得られるエネルギーのこと。大量に利用しても減る心配がなく、半永久的に利用可能となっています。自然の力をエネルギーに変えるため、クリーンなエネルギーです。環境問題が重視される現代では化石燃料に代わる**地球温暖化の緩和策※**の一つとして、また、その他の利点も有するエネルギー源として、その有効性と必要性が唱えられています。日本は世界第4位のエネルギー消費国でありながら、国内で消費するエネルギーのほとんどを海外からの輸入に頼っているため、他の国より率先して再生可能エネルギーの研究と利用を進めなければならないでしょう。

世界の各発電方式の発電量推移の予測(IEA)

世界の年間発電量（PWh）

0 / 10 / 20 / 30 / 40 / 50 / 60

2005年 / 2050年（対策なし） / 2050年（対策あり）

再生可能エネルギー

■その他の再生可能エネルギー ■バイオマス ■天然ガス
■太陽光／太陽熱 ■水力 ■原油
■風力 ■原子力 ■石炭

出典：IEA,Energy Technology Perspectives,Sep 2008,Fig.2.15

CHECK! ワンポイント講座

地球温暖化の緩和策／再生可能エネルギーのほかには二酸化炭素を排出しないことから、原子力の再利用が地球温暖化の緩和策として考えられていますが、危険性も大きいため慎重な議論が求められています。

世界で最も再生可能エネルギーの利用が進んでいるのがドイツです。
ドイツでは太陽光発電、風力発電、さらにバイオマスなどの利用が拡大しています。

常に新しく供給されるエネルギーを使う再生可能エネルギー

再生可能エネルギーとは何かをもう少し分かりやすく言えば、私たちが生きている地球上で自然に起こるさまざまな現象を利用して、人類が繰り返し使えるエネルギーのことです。降り注ぐ太陽の光や風などは、私たちが何かをしなくても、自然とあるものです。地球上で起こる自然現象を利用したエネルギーですから、環境の変化を引き起こしにくいため、環境にやさしいエネルギーと言えるのです。

ただし、「再生可能」とは、一度使ったものが元に戻り、再び使えるという意味とはちょっと違います。例えば、太陽光を利用した発電で説明しましょう。人類は太陽電池を使って太陽光エネルギーを電気エネルギーに換えて使っていますが、それは使い終わると熱エネルギーに変わってしまうのです。使い終わったエネルギーは、太陽光エネルギーには戻りません。

しかし、太陽からは常に太陽光エネルギーが新しく地球上に供給されます。人類はその新しい太陽光エネルギーを使って発電できるため、再生可能としているのです。

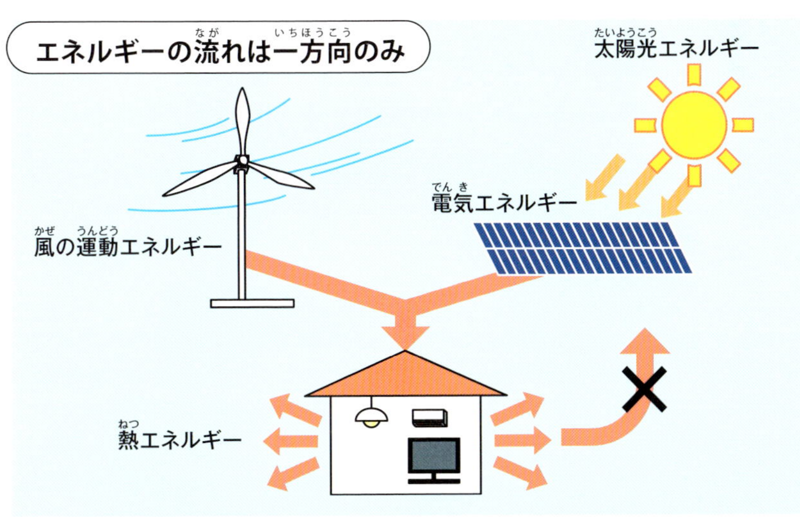

再生可能エネルギーの普及率を世界で見ると、OECD加盟国（経済協力開発機構）や欧州に比べて、日本での普及率は半分ほどにとどまっています。

自然界の力を有効利用して地球にやさしい暮らしを!

第5章 地球の力を有効利用!

太陽光エネルギー

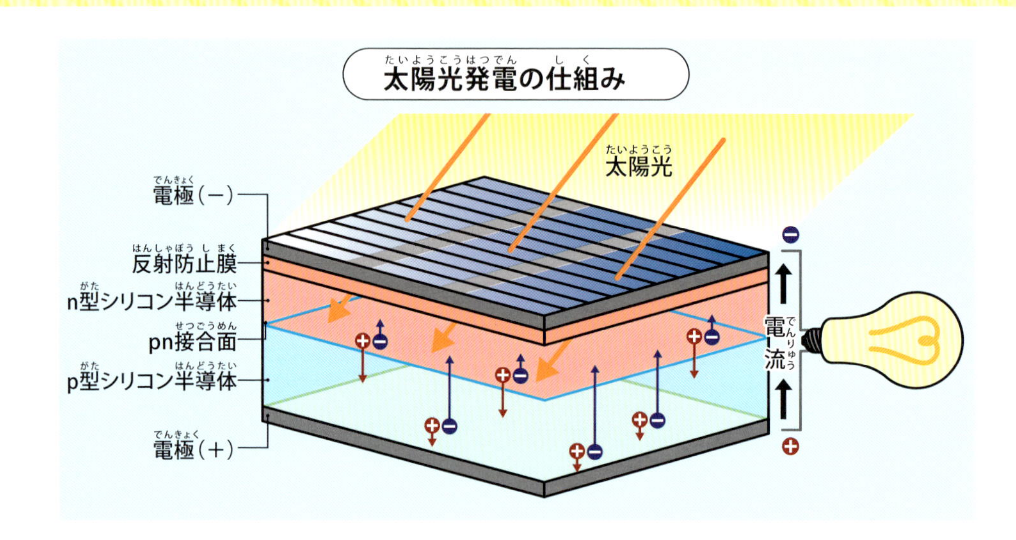

地球の全てに恵みをもたらす再生可能エネルギー

化石燃料に代わるエネルギーとして注目されている**太陽光エネルギー**※とは、太陽光として地球に到達する光エネルギーと熱エネルギーを指します。太陽エネルギーは「再生可能エネルギー」として分類されています。昔から利用されてきたエネルギーですが、近年はエコの観点や温室効果ガスの排出量が少ないことから、照明や暖房、農業などにも利用され、家庭でも太陽エネルギーを利用した住宅が作られています。

CHECK! ワンポイント講座

太陽光エネルギー／太陽が我々の住む地球に届けるエネルギーは1秒間に42兆Kcalという膨大なエネルギー量で、これをうまく活用していくことが重要です。

もし地球全体に降り注ぐ太陽エネルギーを100%変換できたとしたら、世界の年間消費エネルギーをわずか1時間でまかなうことができると考えられています。

太陽光発電が広がる東アジアの国

太陽光発電に使われるのが太陽電池です。この太陽電池の主流となっているのが、性質の異なるn型とp型のシリコン半導体というものを貼り合わせたものです。

それでは、そこでどのように電気がつくられるのでしょうか? それはイラストを見ると分かりますが、太陽電池に太陽光が当たると光のエネルギーによって物質から電子が飛び出す「光電効果」という現象が起こり、飛び出したマイナス電子はn型に、その反対にプラス電子はp型に集まり、電線をつないだら電流が生じる仕組みになっています。

最小単位が「セル」と呼ばれる太陽電池をたくさんつなげたものが「ソーラー(太陽光)パネル」です。現在、急速に太陽光発電が広がっているのが、経済発展が進む東アジアの各国です。その中でも中国は太陽光発電導入量が世界最大となっています。

2019年までの世界の太陽光発電累積導入量

※国際エネルギー機関(IEA)発表

順位	国名	導入量(GW)
1	中国	308.5
2	アメリカ	123
3	日本	78.2
4	インド	60.4
5	ドイツ	59.2
6	オーストラリア	25.4
7	イタリア	22.6
8	韓国	20.1
9	スペイン	18.5
10	ベトナム	17.4

参考:『Snapshot of Global PV Markets 2020 | IEA』

太陽電池をたくさんつなげたソーラーパネル

太陽光発電はシリコン半導体などに光が当たると電気が発生する現象を利用し、太陽光エネルギーを電気エネルギーに変換している。

太陽のエネルギーを熱に変えて利用

太陽熱エネルギー

太陽熱エネルギーの利用システム 出典/経済産業省資源エネルギー庁HPを参考に作成

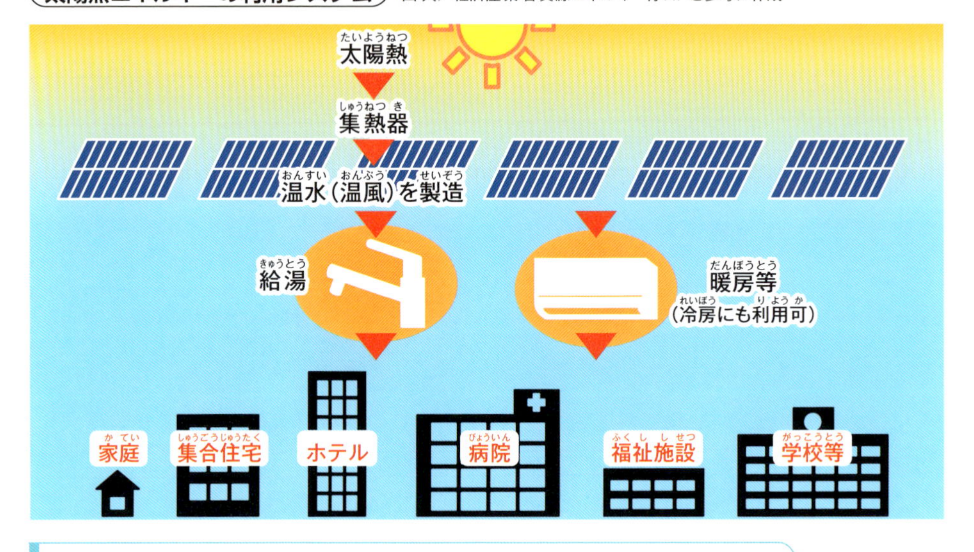

エネルギーを吸収して熱に変える太陽熱エネルギー

「太陽熱エネルギー」も太陽光エネルギーと同じく、太陽のエネルギーを活用しています。太陽熱発電ではエネルギーを吸収させて、それを熱に変えて利用します。鏡などを使い、太陽光を広い範囲から集めて高温を得るというところが大きな特徴です。台所や浴室などへの給湯、冷暖房、発電などのほかに、海水の淡水化にも利用されています。

また、太陽のエネルギーを使っている太陽熱発電ですが、一時的に熱媒体を高温にするため、熱をこの高温の熱媒体に溜めておいて、陽が沈んだ後の夜間にも発電することが可能であるという点は、夜間に発電ができない太陽光発電と比べた時の利点であると言えるでしょう。

地球NEWS
太陽熱発電は太陽光のエネルギーを熱として取り出して、タービンを回転させることで発電します。

タワー式とトラフ式の太陽熱の発電方法

太陽エネルギーを熱として利用し、発電するための主な方法としては「タワー式」と「トラフ式」というものがあります。

まずタワー式と呼ばれている太陽熱発電では、凸面鏡の中央にタワーを設置して、その凸面鏡の焦点位置には加熱装置が設置されています。凸面鏡に照りつけた太陽熱が焦点に集まり、それが加熱装置を暖めていって発電機を回すという方式です。このタワー式の難しいところは、鏡の設置角度の精密さが求められる点が挙げられています。そのために、大規模な発電を行うことが難しいと言われています。

もう一方のトラフ式と呼ばれている太陽熱発電では、横に並べた曲面鏡の上にトラフ(樋)を設置して、そこに熱媒体を流して加熱するという方式です。このトラフ式は先に説明したタワー式に比べると建設することはそれほど難しくないそうです。しかし、温度が400度程度となることから、高温を得ることができないという問題が難点として挙げられています。

日本は湿気が多いために太陽光の集光が難しく、さらに日照量も少ないことから、太陽熱発電には不向きとされています。

タワー式の太陽熱発電

トラフ式の太陽熱発電

ディッシュ式という太陽熱発電方法もあります

タワー式太陽熱発電は反射鏡を大量に設置する必要があるため、砂漠などの広大な土地が必要になります。

水が流れ落ちる力を利用するクリーンエネルギーの代表格

第5章
地球の力を有効利用!

水力エネルギー

ダム以外にも発電可能な水の力を利用する古くて新しいエネルギー

水力エネルギーとは、水が流れ落ちる力を利用するエネルギーのこと。一般的に**水力エネルギー※**という名称で呼ばれることは少なく、水力発電として認識されている場合が多くなっています。水力を利用して発電する方法では、ダムを作って発電するというのが一般的でした。しかし、近年は川の流れや波の力を利用する発電も行われるようになっています。例えば満潮と干潮の海面水位の変化を利用する潮力発電や、あたたかい海水の熱でアンモニアなどの液体を蒸発させ、その蒸気の力で発電機を回転させる海洋温度差発電、上水道や川など身近な水を利用するマイクロ発電、波が上下する力を利用して空気の流れを作って発電機を回転させる波力発電などがあります。

ダム内の水をパイプに落として発電します

CHECK!
ワンポイント講座

水力エネルギー／世界のエネルギー消費量の中で、水力エネルギーが占める割合は約2.6%となっています。かつては発電のためのエネルギー源のほとんどは水力によるものでした。しかし、1973年と1978年のオイルショック以降は原子力エネルギーが導入され、日本の水力発電の割合は10%以下になってしまいました。

地球NEWS
2009年に完成した中国の三峡ダムは、1日2,250万Kwの発電能力があります。

今後の水力発電で期待されている中小水力発電

大規模なダムの建設にはたくさんの費用がかかるほかにも、自然環境の破壊や周辺住民への立ち退き問題など、さまざまな問題や影響が考えられます。そんな問題や影響を避けるために、近年注目されているのが中小水力発電です。

水力発電というものは、ダムのような大規模な設備がなくても、ある程度の水の流れと落差があれば可能な発電方法です。中小水力発電は、ダムのように水をせきとめずに、水流をそのまま利用する流れ込みが一般的な方法で、河川や農業用水、上下水道、さらにはすでにあるダムの放流水などを有効に使えます。

私たちが住む日本という国には落差が大きい河川がたくさんあるため、中小水力発電に適している土地と言えます。しかし、発電のために既存ダムや河川を使うためには、さまざまな認可や法の整備が必要とされるため、それらをどう解決していくのかが課題になっています。

水力発電の仕組み 出典／電源開発株式会社HPを参考に作成

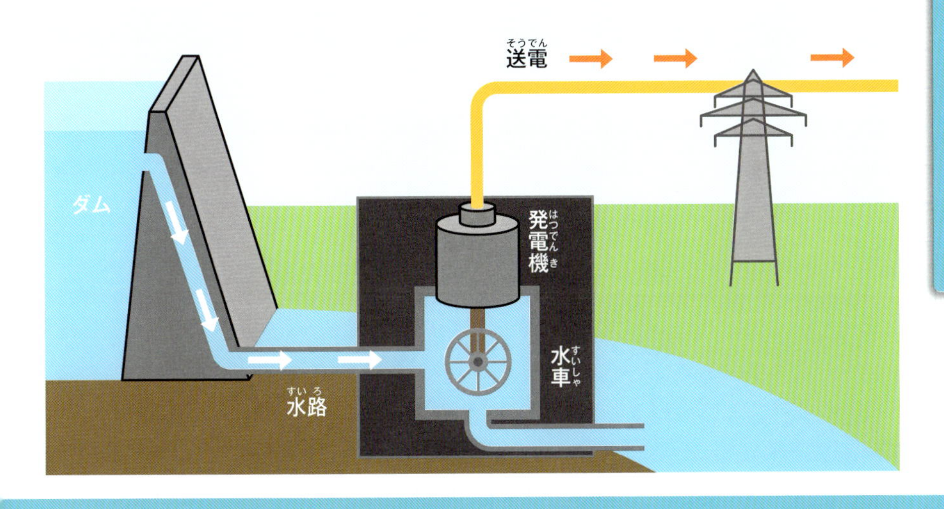

水力発電は再生可能エネルギーと呼ばれるエネルギーの中では、もっとも古い時代から発電に利用されてきた方法です。

限り無く生産可能で、海外では積極的に利用されている地球の息吹

風力エネルギー

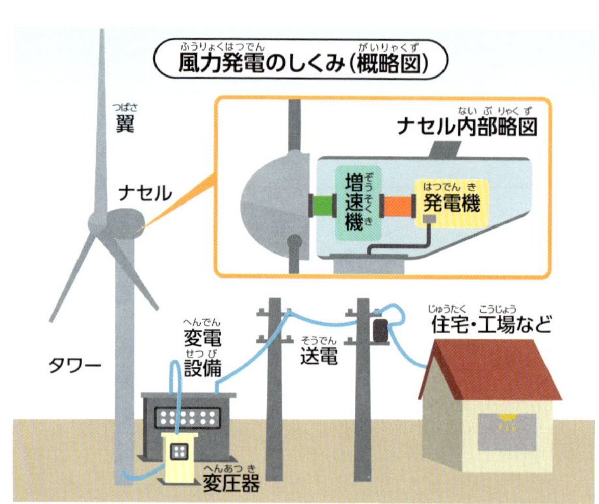

年間平均風速6.0m/s以上が風力発電に適した環境です

昔から利用され、さらに未来も期待される自然エネルギー

昔から船を動かしたり、水をくみ上げる風車を回すエネルギーとして、風の力が利用されてきました。風の運動エネルギーを羽根の回転エネルギーに変えて作るのが、風力エネルギーです。これは、風車で風を受け、風車の中に設置している発電機を回すことで電気を作るしくみで、限り無く生産できることから、再生可能エネルギーの一つに分類されています。風力エネルギーは、24時間の稼動が可能で、生産コストが低く二酸化炭素を出さないので地球温暖化に影響を与えないメリットがあり、季節風などさまざまな風が吹く日本、特に風力発電に適した土地が多い北海道や東北では、今後の設置や利用量が増えていくと予想されています。

地球NEWS
風力発電が盛んなドイツでは各地域に風車が建ち、その発電量は日本の約30倍になっています。

約6,000年前から利用されてきた

地球レベルで見ると、赤道に向かって吹く風を貿易風と呼び、地球の自転によって生じる風を偏西風と呼びます。そして人類には約6,000年前から風の力を利用してきた歴史があります。紀元前4,000年に帆船で海へと進出し、15〜17世紀の大航海時代と呼ばれていた時期にはヨーロッパ諸国の海への進出に風の力が大きく貢献しました。

そしてもうひとつ、人類の発展に大きく関わった風力の利用法が風車でした。風の力で羽根車を回すことで動力が得られることを知った人類は、それまで人力に頼っていた水の汲み上げなどの労働を風力へと変換していきました。

風車の仕組みを応用し、19世紀末から開発されてきた風力発電は欧米諸国、特に偏西風によって風力を得やすいヨーロッパが世界をリードしていきました。しかし近年は中国が風力発電導入量でトップに立ち、日本やインドなどアジア地域も盛んに導入するようになりました。

世界の風力発電導入量　出典／GWEC Global Wind2017 Reportを参考に作成

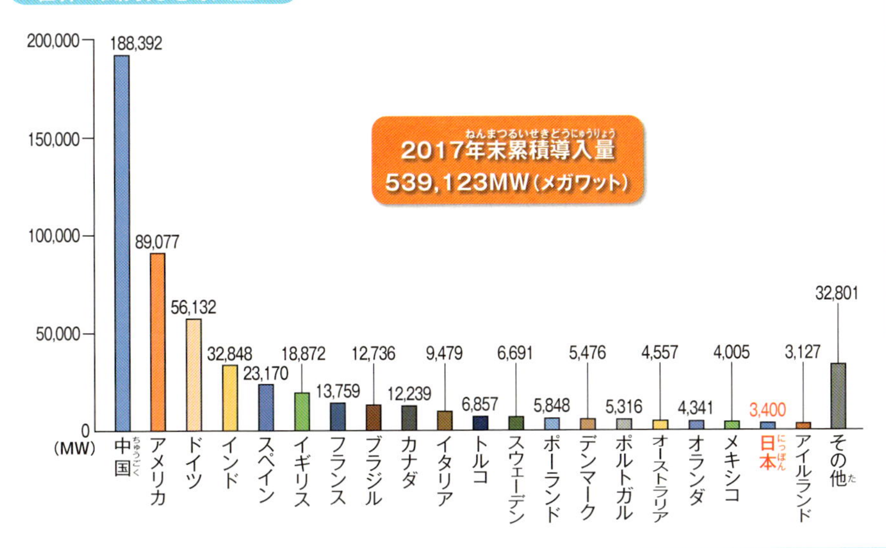

再生可能エネルギーの中でも風力発電は、世界で見ると太陽光発電の2倍近い電力を供給しています。

第5章
地球の力を有効利用!

二酸化炭素の循環が可能なエネルギー

バイオマスエネルギー

バイオマス発電の仕組み 出典/環境展望台HPを参考に作成

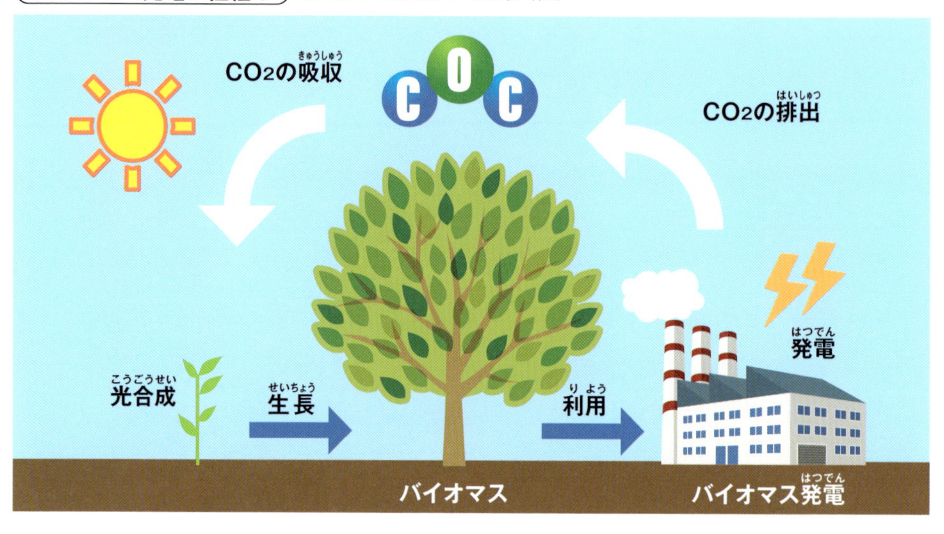

昔から人類に使われているのに新しいエネルギー

「バイオマス」とは、生物を意味する「バイオ」、量を意味する「マス」を合わせてつくられた言葉で、エネルギー燃料や工業原料として使うことができる生物由来の資源のことをバイオマスエネルギーと呼んでいます。ですから、「再生可能な生物由来の有機性資源で、石油や石炭などの化石資源を除いたもの」がバイオマスとされています。

このバイオマスエネルギーは、木を切り、その切った木を乾燥させて薪にして燃やすといったように、実は古くから人類の生活の中で使われてきたエネルギーです。それでは、近年になってバイオマスエネルギーが注目されているのは、一体何故なのでしょうか?

地球NEWS バイオマスとはバイオ(bio:生物)とマス(mass:量)から作られた合成語であり、もともとは生物資源量という意味の生態学用語です。

それは、バイオマスを燃焼した場合も二酸化炭素は発生するのですが、植物はその二酸化炭素を吸収して生長し、バイオマスを再生産するので、大気中の二酸化炭素の量が増えないからなのです。

発生源と用途によって3種類に分類されるバイオマス

多種多様なバイオマスは、発生源と用途によって資源作物、未利用バイオマス、廃棄物系バイオマスの3種類の分類の仕方がよく用いられます。

まず、資源作物ではサトウキビなどの糖質系、トウモロコシや小麦などのデンプン系、大豆やナタネといった油脂系の作物などがあります。次に未利用バイオマスでは稲ワラや麦ワラなどの農産資源のほかに、間伐材などの林産資源などがあります。そして廃棄物系バイオマスでは牛・豚・鶏のフンなどの畜産廃棄物や食品廃棄物、古紙などがあります。

これらのサトウキビやトウモロコシなどを原料として生産されている燃料資源が、バイオエタノールやバイオディーゼル燃料などです。さらにはバイオマスは燃料だけではなく、プラスチックなどの工業原料をつくり出すことも可能になってきています。環境に優しいバイオマスエネルギーは、これからの更なる利用が期待されています。

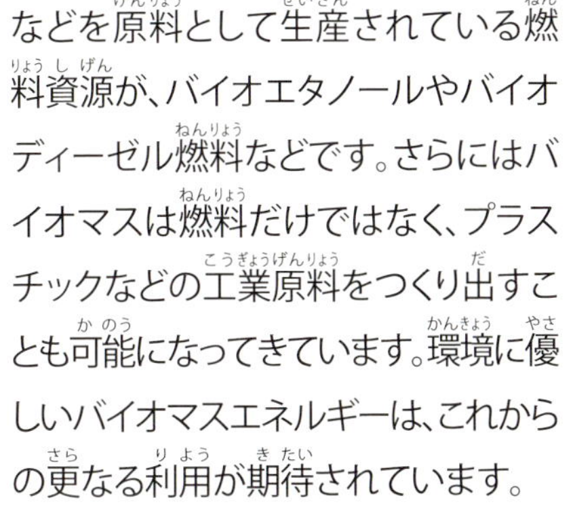

廃棄物系バイオマス資源の古紙

未利用バイオマス資源の稲ワラ
Photo by Hiroshi Noguchi

資源作物のサトウキビ

バイオマス発電は環境問題やエネルギー問題だけでなく、廃棄物の問題も解決できる利点もある発電方法です。

第5章
地球の力を有効利用！

火山大国の日本に適しているが課題もあり

地熱エネルギー

火山国に豊富に存在する地球内部の熱エネルギー

火山がたくさんある日本は、世界でも有数の火山国です。日本をはじめ、そんな火山国にたくさん眠っている資源が、地球内部の熱である「地熱」です。

火山地帯の地下深くには、高温で溶けた岩石がたまるマグマだまりがあり、そこに地表からの雨水などがしみ込むと、それが熱によって温められます。地熱発電は、その熱水や水蒸気がたまっている地熱貯留層から、地熱エネルギーを取り出して発電しています。

日本の地熱発電資源量は世界第3位です。しかし、地熱発電設備容量を見ると、世界第10位になっています。資源はあるのに、地熱発電設備の容量が少ないというのは、どうしてなのでしょうか？そこには高い開発費用に加え、その資源の多くが国立公園内や温泉地にあることによって、開発を遅らせてきたという要因があるからなのです。

世界の地熱発電設備容量の変化

出典／BP Statistical Review of World Energy , June 2019

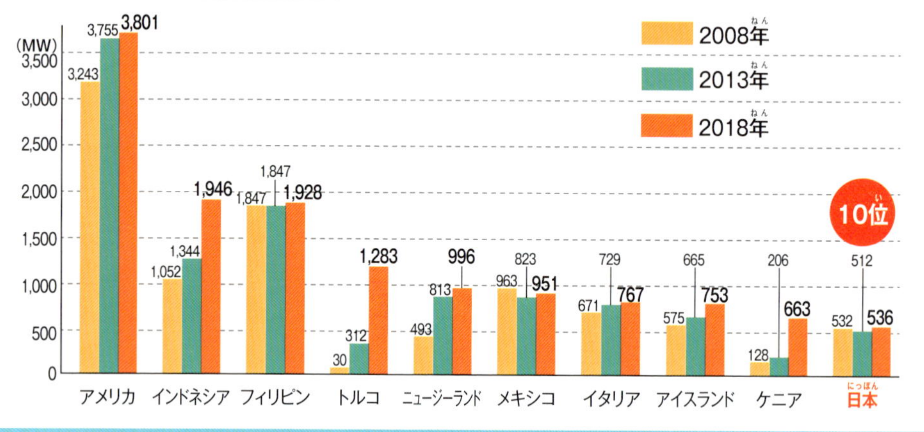

地球NEWS
地下に浸透した雨水がマグマにより熱されることで高温の蒸気が発生しますが、それらの熱せられた高温・高圧の熱水、蒸気のことを「地熱流体」と呼びます。

温泉を利用して発電する温泉バイナリー発電

地熱発電方法として一般的なのが「フラッシュ発電」と呼ばれる方法でしたが、最近増えているのが「バイナリー発電」と呼ばれる方法です。主に200度以上の高温地熱流体での発電に適している「フラッシュ発電」は、タービンを地熱流体中の蒸気によって回して発電する方法です。

一方、水より沸点の低い二次媒体を使い、より低温の地熱流体での発電に適した「バイナリー発電」は、タービンを地熱流体で温められた二次媒体の蒸気で回して発電する方法。この方式が開発されたことで注目されているのが「温泉バイナリー発電」です。既存の温泉を利用して地域の電力や暖房を得られるため、各地の温泉地で導入が検討されています。

バイナリー発電所　Photo by シン・エナジー

地熱バイナリー発電の仕組み

出典／日本地熱協会HPを参考に作成

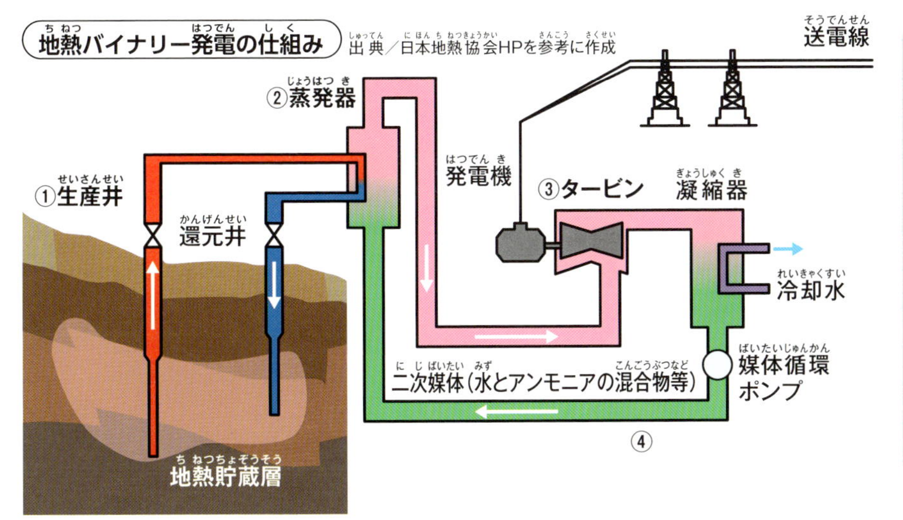

①生産井から地熱流体を取り出します

②二次媒体を地熱流体で温めて蒸気化します。二次媒体を温めた後の地熱流体は、還元井から地下に戻します

③タービンを二次媒体の蒸気で回転させて発電します

④発電し終わった二次媒体は凝縮器で液体に戻して、循環ポンプによって再度、蒸発器に送ります

地球NEWS
地下の熱源を利用した地熱発電は、太陽光や風力などの再生可能エネルギーと比較しても気象状況や季節、時間帯の影響を受けることがない安定したエネルギーです。

身近な例は植物の光合成、研究が進む新分野

第5章
地球の力を有効利用！

化学エネルギー

物質が持っている力を、熱や光、電気などに変換

化学エネルギーとは、もともと物質中にあったエネルギーが化学変化※する時に、別のエネルギーに変わることです。例として、光と水、二酸化炭素からデンプン(ブドウ糖)と酸素を作り出す光合成があります。これは光エネルギーを使って二酸化炭素からデンプンという化学エネルギーを作り出します。ほかにも水素と酸素を化学反応させて電力を作る燃料電池があります。燃料電池は水素(水素ガス)と酸素さえあれば利用可能なことから、水素自動車などへの利用が期待されています。

ワンポイント講座

化学変化／物が燃えたり、鉄が錆びたりすることや、パンをふくらませるためにベーキングパウダーを入れるのも化学変化を利用しています。

燃料電池発電の仕組み

電子　電子
水素イオン
水素　H_2
酸素　O_2
水　H_2O

水素と酸素を化学変化させることで電気と水を得ることができます

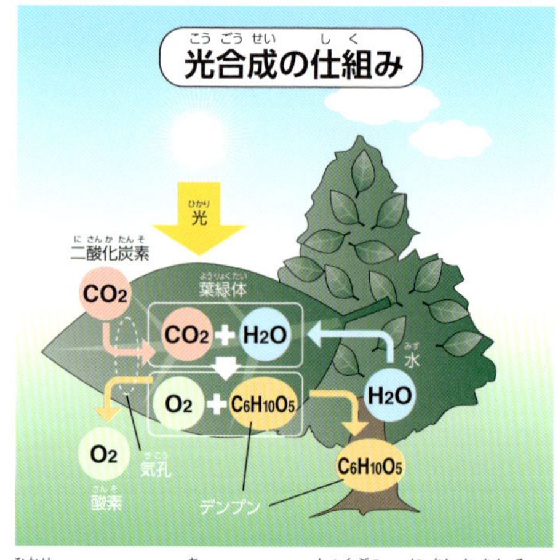

光エネルギーを浴びることで、植物は二酸化炭素を吸い、酸素をはき出します

通常の燃料電池のほかにも、食物からエネルギーを取り出す仕組みを利用したバイオ燃料電池、光合成の仕組みを利用した太陽光バイオ燃料電池の研究も進められています。

未来の二次エネルギーとして期待される水素エネルギー

水を利用したエネルギーには水力エネルギーがありますが、近年では水素と酸素の化合物である水から水素を取り出してエネルギーとする「水素エネルギー」が注目されています。

水素は燃やしても水しかできないので、二酸化炭素を出すこともなく、クリーンなエネルギーです。このエネルギー開発は欧米の先進国を中心に進んでいて、日本でも実用化がされています。

水素エネルギーはまず、水素を水から取り出すために、電気を加えることによって水素と酸素に分解(電気分解)します。この時、一次エネルギーである化石燃料を燃やしてつくった電力を使ったならば二酸化炭素を排出してしまうため、二酸化炭素の削減のためには再生可能エネルギーでつくった電気を使うことが大切です。

そうしてできた水素から電気をつくるためには、電気分解とは逆のことを行います。水素を燃やして酸素と化学反応をさせて、そこで生じるエネルギーで発電するのです。この電気分解法のほかにも、太陽熱などの高温の熱を利用して水分子をバラバラにする熱分解法などもあります。

製造の仕方で名称が変わる水素

出典／経済産業省資源エネルギー庁HPを参考に作成

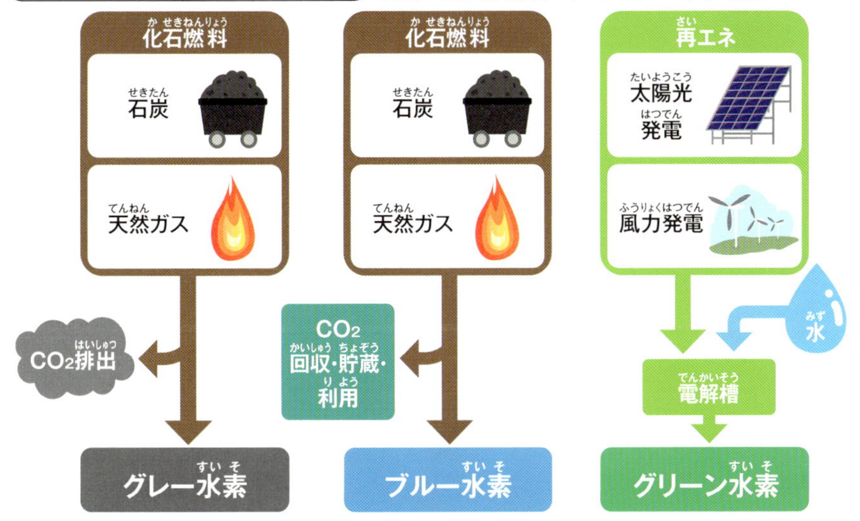

水素エネルギーは燃やしても二酸化炭素を排出せず、無尽蔵かつ安価で各種産業分野に活用できるという点で非常に注目されています。

雄大な海の息吹をエネルギーに変換

第5章 地球の力を有効利用！

海洋エネルギー

海が持つエネルギーを利用して電力に変える

私たちが暮らす日本は四方を海に囲まれており、地球の表面の約7割は海に覆われています。その海が持っている膨大なエネルギーを使った発電が世界各国で進められています。

海洋エネルギーを利用した発電には、波の上下運動や水平振動を利用する「波力発電」、潮の満ち引きなどを利用する「潮汐発電（潮力発電とも言います）」、周期的な潮の流れを利用して、水車によって回転エネルギーに変換させる「潮流発電」、さらには海の表層の温か

高性能熱交換器による高効率海洋温度差発電の仕組み

出典／佐賀大学海洋エネルギー研究センターHPを参考に作成

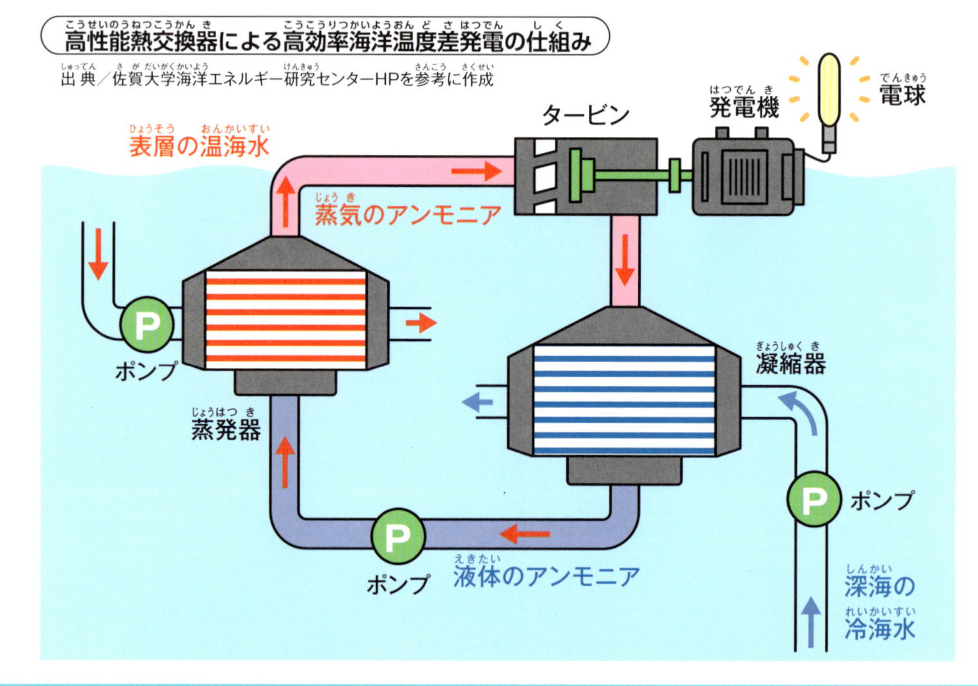

地球NEWS
「海洋温度差発電」は、海洋表面水と海洋深層水との温度差が少なくとも15℃～20℃程度必要とされており、発電プラントの設置場所は限られるといわれています。

い水と深層の冷たい水の温度差を利用する「海洋温度差発電」など、いくつかの方法があります。水のエネルギーを利用してタービンを回し、発電をするという仕組みは、水力発電と基本的には同じ仕組みです。

天候に左右されない海洋エネルギー発電は、安定した電力が見込まれるために、今後に期待が持たれている再生可能エネルギーのひとつです。しかし、設備の建設費用が高くなってしまうほか、波や塩分などの影響を受ける海での発電は、機材が早めに劣化してしまうなど、それによる設備の維持が課題とされているため、世界でも実用例が少ないのが現状です。

大きな可能性を秘めた日本の海洋エネルギー発電

この海洋エネルギー発電の分野で世界をリードしているのは、日本と同じように海に囲まれ、いくつもの潮の流れが激しい海域があるヨーロッパのイギリスです。ほかにも北ヨーロッパや北米、韓国、オーストラリアなどの海に面している国が開発を競い合っています。

日本は国土面積で見ると世界60位ではありますが、領海と排他的経済水域の面積は世界6位の面積を持っています。このことを考えてみると、海洋エネルギー発電の分野においては、大きな可能性を秘めている国と言えるでしょう。

日本では沖縄県久米島で海洋温度差発電の実証実験が行われているなど、海洋エネルギー発電への取り組みを進めています。また2018年12月には、洋上風力発電などの海洋再生可能エネルギーの本格的な普及の後押しが期待されると言われている「海洋再生可能エネルギー発電設備の整備に係る利用促進に関する法案」が公布されました。これによって、日本の海洋エネルギーの発電における技術向上が進んでいくことを期待されています。

沖縄県久米島にある海洋温度差発電実証実験プラント

海洋温度差発電の原理自体は、1881年にフランスの物理学者ダルソンバールが提案しており、100年以上の年月を経た現代で実用化への動きが始まりました。

地域住民の協力と理解も必要

地域で再生可能エネルギーを導入

再生可能エネルギー事業で地域貢献

再生可能エネルギーの導入拡大のためには、地元に再生可能エネルギー事業が受け入れられ、定着することが重要です。再生可能エネルギーを導入することで、環境面への効果だけではなく、地域の活性化につながるメリットもあります。現在は積極的に取り組みを始める事業者が増えていますが、街の景観への影響などを不安視する声もあります。

そこで経済産業省では、地域との共生を図りつつ再生可能エネルギーの導入に取り組む優良な事業に対し「地域共生マーク」を与えて顕彰する動きを始めました。初回となる2021年度は、表の6事業が「地域共生型再生可能エネルギー事業」として決定しました。

地域共生型再生可能エネルギー事業 出典／表は経済産業省HPより

（表は事業者名の50音順）

事業名	事業者名
地元資本による地域密着型風力発電所	風の松原自然エネルギー(株)
久慈市の未利用木質バイオマスを用いた熱供給事業	久慈バイオマスエネルギー(株)
地域の資源を活かした木質資源の地産地消	TJグループホールディングス(株)
災害公営住宅140戸・商業・交流施設を含む復興拠点「笑ふるタウンならは」スマートコミュニティ事業	福島県双葉郡楢葉町
宮古島の再エネサービスプロバイダ事業	(株)宮古島未来エネルギー
山林未利用材を利用した木質バイオマス発電による電力の地産地消と温排水を活用したハウス栽培	(株)モリショウ

地球NEWS 現在は売電で収益を上げることよりも、再生可能エネルギーを利用して地域再生を促そうとする事業者・取り組みが本格化してくると期待されています。

第6章

みんなの努力で守る地球

第6章
みんなの努力で守る地球

世界中が同じ目標達成を目指す取り決め

地球の未来のために取り組むSDGs

SUSTAINABLE DEVELOPMENT GOALS

この報告内容は国連によって承認されておらず、国連またはその当局者または加盟国の見解を反映したものではありません。 https://www.un.org/sustainabledevelopment/

日本でも積極的に取り組みが始まる

SDGsとは2015年に国連で決められた「持続可能な開発目標」のことです。これは日本を含む世界の国々が2030年を期限として、貧困や飢餓などの格差問題、持続可能な消費や生産、気候変動などの問題に対し、各国の政府が目標達成のために取り組む目標のことです。2019年には162の加盟国が参加し、それぞれ17の大きな目標と169の具体的なターゲット（目標を達成するための細かい目標や指標）が定められています。

2020年には目標期限まで残り10年となり、政府や社会、企業が一丸となりすべての人々がSDGsを自分事として考え、取り組みを加速する姿勢が求められています。

一人一人ができること

身近な問題として考えやすいのが目標2「飢餓」です。日本のような先進国ではこの課題はだいたい解決しているといえますが、世界保健機関（WHO）の報告書によると、世界の飢餓人口は2020年時点で約7億2170万人。およそ11人に１人が栄養不足に苦しんでいる計算になります。ところが、世界を見ると大人の８人に１人が肥満とされており、世界的に見て食糧や栄養が偏っていることが飢餓の原因となっていることが分かります。

日本では「食品ロス」の問題がたびたび話題に上がります。日本の食品ロスは年間に640万トン(1人あたり年間50kg)にのぼります。そのうち、約半分が家庭から出る食品ロスで、目標達成には個人個人の取り組みが必要不可欠となっています。

国際連合本部ビルの壁にロゴのプロジェクションマッピングを投影している模様。

（写真提供／UN Photo：Cia Pak）

私たち日本人も「チーム地球」の一員という自覚を持つことが大事

SDGｓは地球上の「誰一人取りさない」ことを誓っています。また日本では2016年５月に「持続可能な開発目標（SDGs）推進本部」が設置されました。2020年の国連レポートによると日本にとって課題と指摘されている目標は、目標５「ジェンダー平等を実現しよう」、目標13「気候変動に具体的な対策を」、目標14「海の豊かさを守ろう」目標15「陸の豊かさを守ろう」、目標17「パートナーシップで目標を達成しよう」の5つとされています。これらの目標を達成するため、日本で暮らす私たち一人一人も意識を高めて行動することが必要となっています。

目標2「飢餓」ではSDGsが採択された2015年の数値から見ると、2020年時点では124万トンの削減が達成されているとのことです。（現行の算出方法にての数値）

10年以内にゴミを捨てる場所が無くなる?

ゴミを少なくする努力を

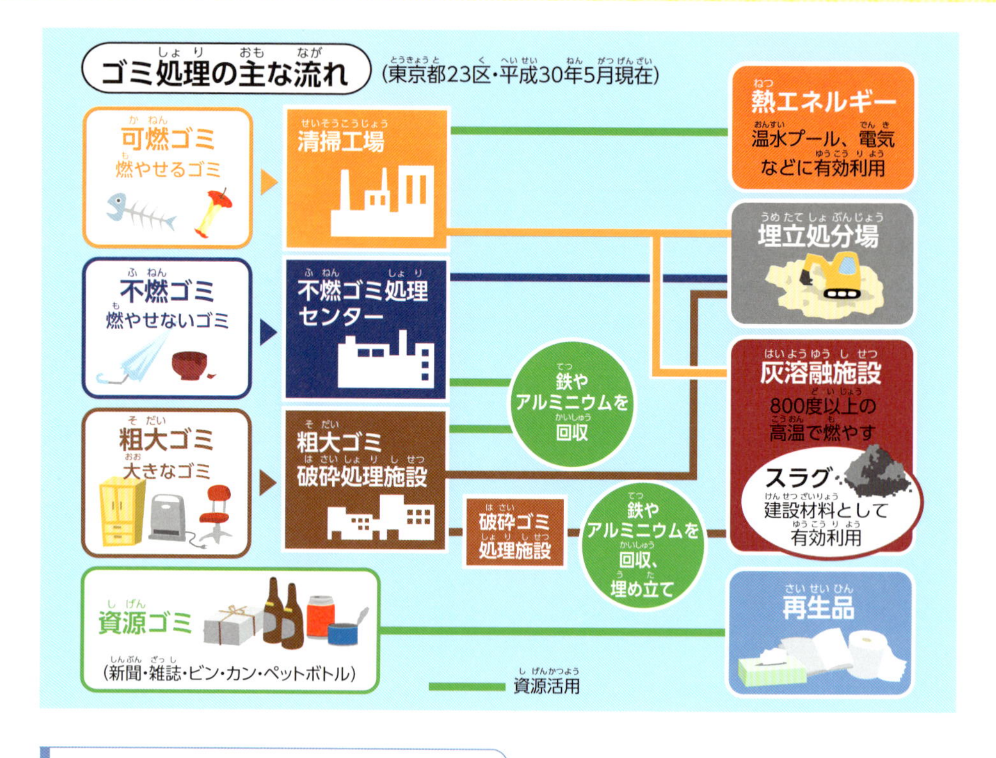

捨てたゴミは自然になくならない

私たちが生活する上で出てくるゴミはどこに行くのでしょうか？ゴミは回収する場所から業者の人が回収し、ゴミの種類によって異なる処理施設に集められ、最終的に埋めるか資源として再利用するという形になります。問題はゴミを処分するための処分場を建てる場所とゴミを埋める場所がないということです。土地のせまい日本では、大量のゴミを集める場所もそ

1人あたりの1日に出す家庭ゴミの量は、平成12年をピークに減少傾向にあります。これはゴミの分別やリサイクルなどが盛んに行われるようになったからです。

れを埋める場所を見つけるのもむずかしい状態になっています。さらにゴミを処理する際に大量の二酸化炭素が発生するため、地球温暖化を進めてしまいます。必要以上の物を作らずにゴミを減らす方法を考えなければなりません。

家庭のゴミを減らせばゴミの量は確実に減る

日本では令和2年に約4,100万トンのゴミが出ましたが、そのうち生活で出るゴミが6.5割を占めています。家庭のゴミは私たちの毎日の努力次第で減らすことが可能です。

循環型社会を目指し、ゴミを減らして無駄な資源を使わない

ゴミの大部分は、お菓子の箱やペットボトル、ビン、カン、シャンプーや洗剤のボトルなどの製品を入れる容器包装が占めています。これらを捨てるということは、材料である木や石油を捨てることと同じ。家庭ではゴミを減らす（Reduce）、くり返し使う（Reuse）、資源として再利用する（Recycle）の3つのRを意識して、無駄なゴミを出さないようにしましょう。

ゴミを減らす3つのR

Reduce リデュース

ゴミを減らす

- ゴミになるものは買わない
- 長く使える物を買い、使い捨てはしない

Reuse リユース

くりかえし使う

- リターナブル容器（牛乳びんのように洗ってくり返し使える容器）の製品を買う
- いらないものは欲しい人にゆずったり、リサイクルショップに持って行く

Recycle リサイクル

資源として再生利用する

- ゴミを分別する
- リサイクルされた製品を使う

家庭から出るゴミの内訳は、30％が台所から出るゴミ、35％が紙類、16％がプラスチックです。

第6章 みんなの努力で守る地球

資源は地球からの贈り物

資源を大切に、もっとリサイクル!

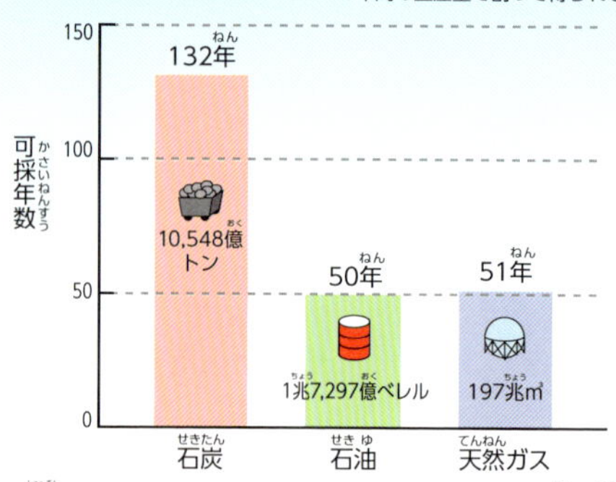

資源はいずれ無くなってしまう?

私たちが豊かな暮らしをする上でかかせないのが資源。しかし石油、石炭、ウランなどの地下資源※は近いうちに枯渇してしまうといわれていて、現在、世界中で限りある資源をどのように活用するかという研究が進められています。特に多くの資源を輸入に頼っている日本では、海水から希少金属（レアメタル）を取り出す研究や、日本近海にあるメタンハイドレート※を使う研究などが行われています。

CHECK! ワンポイント講座

地下資源／鉱山や油田などに眠る消費型の天然資源のことです。いずれなくなってしまうので再利用の研究が進められています。

メタンハイドレート／天然ガスの主成分であるメタンガスが水の分子に取り込まれたシャーベット状の固体物質です。

日本でも資源が取れる鉱山が残っていますが、コスト面や安全性から採掘はされていません。でも、技術の発展次第で将来的に採掘されるかもしれません。

都市鉱山やバイオマスを有効活用

資源が無くなれば現在のような生活をすることはできません。そこで現在ゴミとして捨てられている携帯電話やパソコン、冷蔵庫などの家電製品から希少金属を取り出して有効利用するための研究が進められています。希少金属のゴミの山を鉱山に見立て、都市鉱山と呼ばれることもあります。都市鉱山を資源と見た場合、金は約6,800トンと、世界の埋蔵量42,000トンの約16%、銀は60,000トンと22%に及び、他にもインジウムが61%、錫が11%、タンタルが10%と世界埋蔵量の10%を超える金属が多数あることがわかっています。また他の金属でも、国別埋蔵量保有量と比較すると白金（プラチナ）などベスト5に入る金属も多数あり、日本は都市鉱山という面で考えると、世界でも有数の資源大国と言えるでしょう。また、紙や家畜糞尿、食品廃棄物、建設廃材、下水汚泥、生ゴミなどがバイオマス資源（P106参照）として活用されるようになりました。

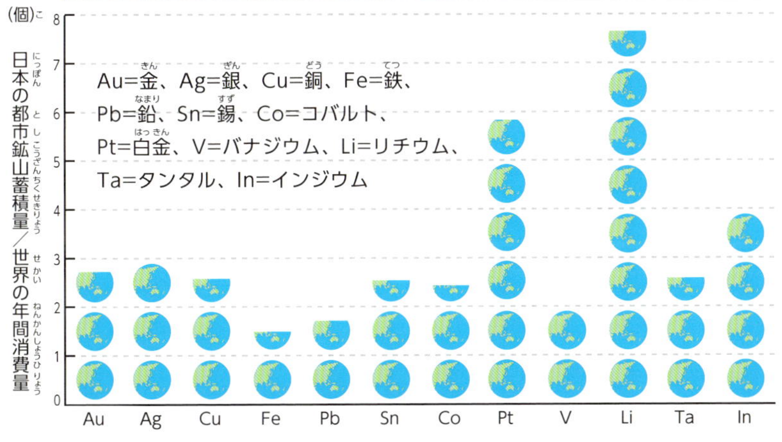

日本の近海には多くの海洋エネルギー・鉱物資源が眠っています。現在は「海洋エネルギー・鉱物資源開発計画」が作成され、資源採掘に向け探査や技術開発に取り組んでいます。

第6章
みんなの努力で守る地球

私たちが使える水は0.01%しかない？

思ったより多くない水資源

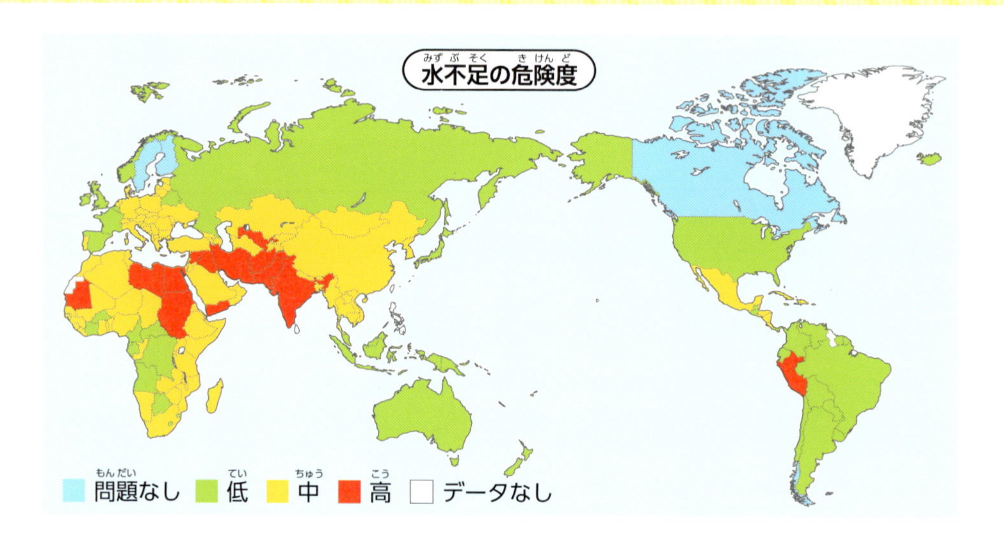

人間が使える水はそんなに多くない

地球は「水の星」といわれ14億k㎥もの水が存在しています。しかし、そのほとんどは海水で、飲み水などで使うことができません。海水と淡水（真水）を比較すると海水が97.5%で淡水が2.5%。ただし淡水の70%は北極と南極の氷の状態なので、実際に使える水は全体の0.01%。このわずかな水で私達は暮らさなければならず、中には海水を**淡水化※**して必要な水を確保している国もあるのです。

ワンポイント講座

淡水化／海水を塩分の含まない水にすること。淡水化には海水を熱して塩分を蒸　発させる「多段フラッシュ法」と、逆浸透膜というろ過膜を使って海水と淡水をわける「逆浸透法」という2つの方法があります。

地球の水は固体（氷）、液体（水）、気体（水蒸気）の3つに姿を変えながら、空と陸、海とのあいだを行ったり来たりするので地球全体の水の量は変化しません。

日本は水が豊富な国？

日本は1年間に平均1,697mmの雨が降ります。これは世界の平均降水量が1,171mmですから、約1.4倍の雨が降っていることになります。しかし、日本はせまい国ですし、人口も1億2千万もいますから1人当たりの降水量は世界平均の4分の1にしかなりません。さらに日本の川は急流が多く、長さも短いので、山に降った雨は一気に川に流れ込んで海に行ってしまうため、水をため込むことができません。そこで、ダムやため池を作って水を人口的に貯めているのです。また日本でも雨が少なくて気温が高い年は水不足になり、水道から出る水の量が減る取水制限が行われます。今後は、温暖化の影響で平均気温が高くなり、雨が降らない夏になると自由に水を使えないということが増えるかもしれません。また、雨が降らずに**水不足**※になれば、作物が育たないため値段が高くなり、家計にも大きな影響を与えます。

CHECK!
ワンポイント講座

水不足／日本では、干ばつなどにより発生し、農業用水の取水制限や水道水の給水制限などが行われます。河川が少ない離島や降水量の少ない瀬戸内海沿岸地域、また人口が急増した都市では毎年水不足に悩まされることもあるのです。

地球NEWS
世界で一人あたりの降水量が一番多い国はオーストラリア。降水量は日本の3分の1ですが、人口と国土の広さから1人あたりの降水量は日本の40倍もあります。

私たちは知らず知らずのうちに多くの水を使っている?

豊かな暮らしに欠かせない水

日本の水使用量内訳（億m³/年）

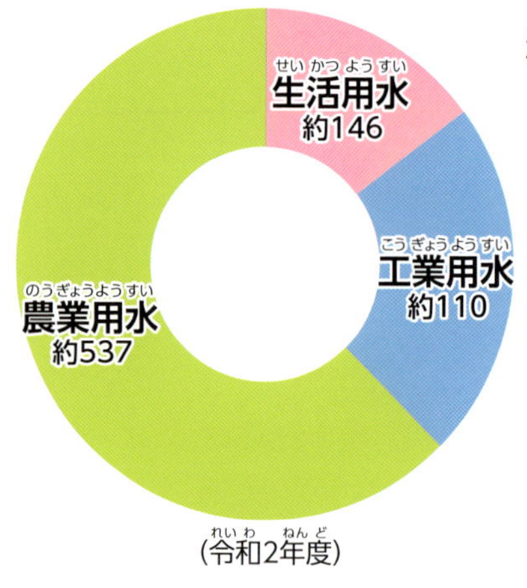

（令和2年度）

（国土交通省：令和2年版 日本の水資源の現状）

一般家庭水使用目的別実態調査

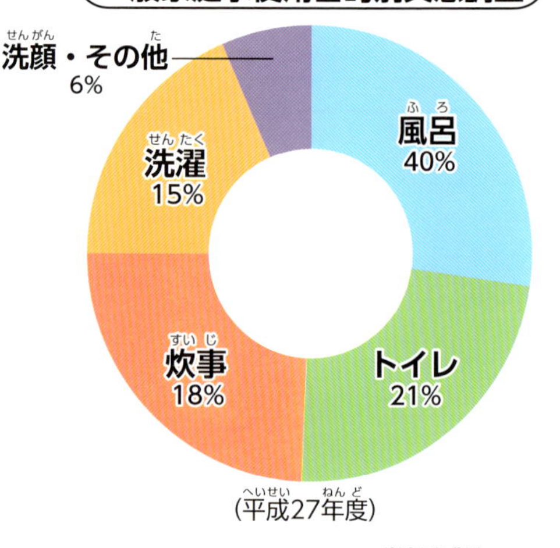

（平成27年度）

（東京都水道局HPより）

1日にどれくらい水を使う?

日本が現在1年間で使用する水の量は約793億m³です。そのうち、一般家庭で人が1年間に使う水の量は146億m³で、主にトイレとおふろで半分を占め、炊事、洗濯、洗顔、その他で残り半分を占めています。家だけでなく、プールや美容室、公園の噴水など外でも水を使います。ほかには、工業用水と農業用水があります。工業用水は私たちの生活で使う車やテレビを工場で作るとき、火力発電や原子力発電で毎日使用する電気を作るときに使う水のことです。使用量の内訳で一番多いのは作物や家畜を育てるための農業用水です。使用する水の量は約537億m³で、全体の約7割を占めています。

地球NEWS
1日に私たちが必要としている飲み水は2.5L。
しかし、生活をしていくには5～12Lの水が必要といわれています。

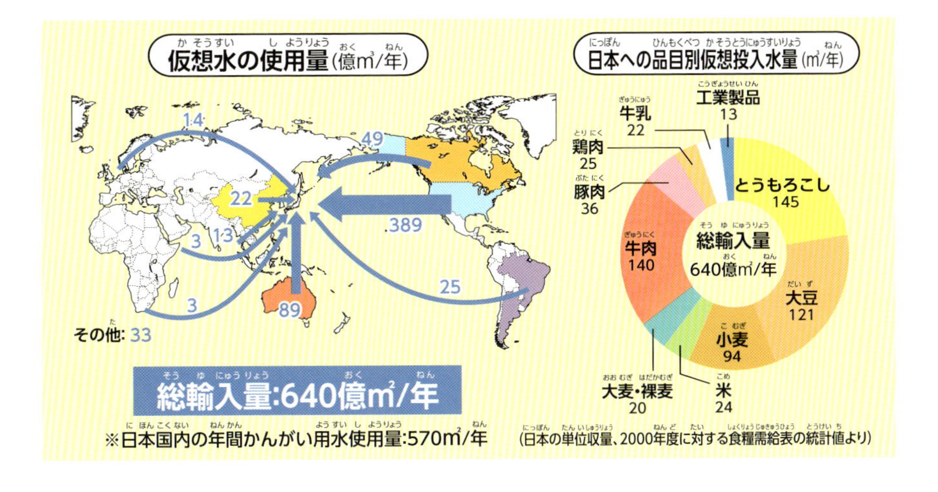

日本は水を大量に輸入している?

日本は多くの食べ物や製品を輸入していますが、それらの作物の栽培や製品を作るために多くの水を使用しています。つまり間接的に日本は多くの水を輸入しているのです。これらの食べ物を、もし日本で作った場合に必要な水を仮想水※といい、世界でも有数の食料輸入国である日本の仮想水の使用量は年間約640億トンで、日本国内での使用量の3分の2に匹敵します。例えば、日本で1kgの米を生産するのに使う水の量は、その3,600倍の3.6トンが必要です。トウモロコシは1,900倍、小麦は2,000倍と、食生活が豊かになると使用する水の量も増えていきます。さらに問題なのが、水が少ないのに、農業しか主な産業がない国が、貴重な水を使って食料を輸出しているということです。現在、世界では水不足や水質汚染などが重要な問題となっている地域や国が多くあります。

CHECK! ワンポイント講座

仮想水／農産物などの輸入(移動)による水資源が足りない地域における水資源の節約や、水資源の自給率向上の議論などで使用される考え方です。水の少ない中東が水を理由に争わないのは、石油を売って食料を輸入することで水の使用量が少なくて済むからだといわれています。

ハンバーガーを1個作るのに必要な仮想水は2.4トン、
牛丼を1杯作るのに2トンの仮想水を使っているという報告も上がっています。

第6章 みんなの努力で守る地球

自分の食べている食べ物が安全か調べてみよう!

安心で安全な食べ物を!

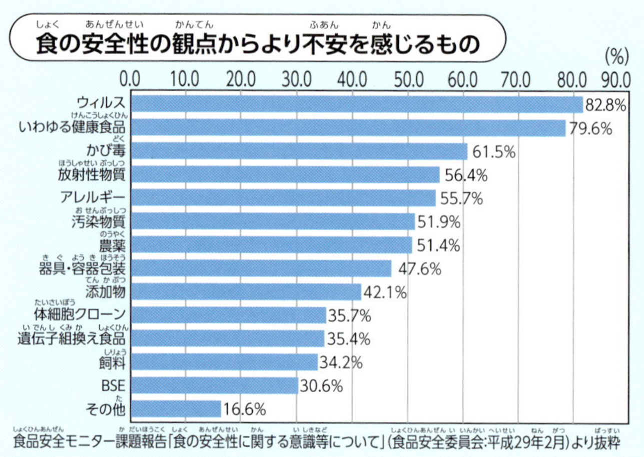

食品安全モニター課題報告「食の安全性に関する意識等について」(食品安全委員会:平成29年2月)より抜粋

国外では日本国内で使用している以上の農薬が使われることも

食の安全性にみんなが注目している

最近、食べ物の**偽装問題※**などがテレビでも放送されているように、食の安全性に多くの人が関心を持つようになりました。**食品安全委員会※**が2021年に食の安全性について意識調査を行った結果、ウイルス等による食中毒が80.5%、かび毒が64.1%、健康食品が62.9%と、私たちの食生活に直接影響を与える項目について多くの人たちが不安を感じると回答しています。また、汚染物質や遺伝子組み換え食品などにも強い関心があることが判明しました。

CHECK! ワンポイント講座

偽装問題／食品の産地を偽ったり、表示している材料以外のものを使って食品を作ったりして、商品を売ること。

食品安全委員会／食や健康の専門家が食品の安全をチェックする政府の機関。

海外から輸入するくだものなどには収穫後に「ポストハーベスト農薬」という農薬を使っている場合があります。現在、これを使った食品の安全性が指摘されています。

野菜やくだものに農薬が残っている!?

お店にならぶ野菜やくだものの中には、決められた量以上の農薬を使っていることがあります。また、外国ではまだ毒性の強い農薬を使っていたり、正しい使い方をしていない場合があります。もちろん、輸入時に検査をしていますが、より安全な食材を食べたい場合は、産地にも注目した方が良いでしょう。

安全な食品を食べるための試み

近年の安全な食べ物への関心の高まりで、政府は安全な食べ物に対して基準を設けることにしました。その一つが「有機JAS」です。化学的な農薬や肥料を使わずに作った野菜やくだものに与えられる認証で、手間をかけて作る分、当然価格は農薬を使用している食材より高くなりますが、私たちの安全には変えられません。また、加工食品には必ず食品添加物などが表示されています。食品添加物は摂りすぎるとよくないので、健康を守るためにも食品添加物の少ないものを選ぶことも大切です。

有機JAS認証の条件

JAS

■有機農産物

科学的に合成された肥料や農薬の使用を避けること、遺伝子組み換え技術を利用しない事を基本として、環境へ配慮した栽培方法で生産された農産物。栽培中はもちろん、種まきや植え付け前に、2年以上許容された資材以外を使用していない田畑で栽培すること。

■特別栽培農産物

- ●無農薬栽培農産物：農薬を使用せずに栽培した農産物
- ●無化学肥料農産物：化学肥料を使用せずに栽培した農産物
- ●減農薬栽培農産物：農薬の使用回数が当該地域で使用されている回数のおおむね5割以下で栽培された農産物
- ●減化学肥料栽培農産物：化学肥料の使用回数が当該地域で使用されている回数のおおむね5割以下で栽培された農産物

地球NEWS 私たちは海外から野菜を輸入していますが、反対に外国の富裕層が安全な日本の野菜や米を輸入するという動きもあります。

森の手入れをして自然を守ろう

森や木を育て、守っていく活動を

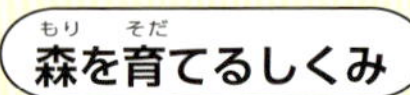

● 手入れをしない森

- 地上に光が届かないのでほかの植物が育たない
- 一本当たりの成長が遅くなり、木材としての価値も下がる
- 保水力が下がってしまう

- 適度な間隔で木が生えているからよく成長する
- 地上の植物も育ち、バランスの良い生態系に
- 保水力も高まり、二酸化炭素吸収量も増加

木を切らないと森が育たない？

世界中で毎日大量の森林が破壊されていますが、日本では森林の手入れをしないことが問題となっています。せまい間隔で木が生えていると、太陽の光を十分に浴びることができないため、木がうまく成長しません。また光が十分に入らないと下に草が生えないので、水源涵養力、土壌保全能力の低い森林になってしまいます。そこで間伐を行って森の手入れをすることが必要になります。日本でも木を切ったところに植林をしていますが、植林をして育った森は人工林といって、天然林と比べると二酸化炭素吸収量や、土壌保全能力などが抑えられてしまいます。天然林を守り育てていくことが今後の課題といえるでしょう。

地球NEWS 三重県にある伊勢神宮は20年に一度遷宮(寺社の建て替え)をしますが、2013年に行われた遷宮では間伐材が25%使用されました。

間伐材を利用した商品を利用

外国産のわりばし

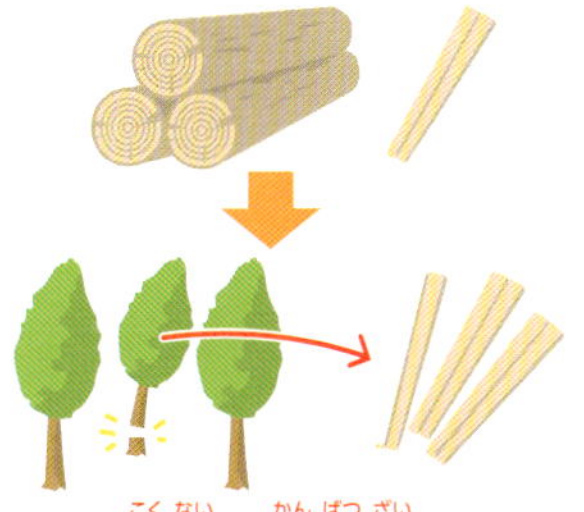

国内の間伐材を使ったわりばし

缶・ペットボトル飲料

カートカン

石油ストーブ

ペレットストーブ

間伐材を有効に使う取り組みを

間伐した木をただ捨てるだけでなく、有効利用する方法も考えなければなりません。間伐材を製品に利用する取り組みを行っている企業もあります。例えば、木を大量に消費することが問題になっているわりばしも、国内の間伐材で作れば、余計な木を切らずに森を守ることに繋がりますし、普段私たちは清涼飲料水をペットボトルや缶で飲んでいますが、間伐材を利用したカートカンを利用することで、石油や金属の消費を抑えることができます。冬は暖房を使いますが、近年の石油価格の上昇から、廃材や間伐材を固めたペレット※ストーブの利用も行われています。ペレットストーブは販売価格が普通のストーブに比べると高いですが、みんなが利用すれば、今より安く買うことができるでしょう。木を大事にするために、余計な包装紙などを使わない取り組みと共に間伐材を利用した商品を使うことで、木を育て、森を守ることに繋がるのです。

CHECK! ワンポイント講座

ペレット／おが粉やかんな屑など製材副産物を圧縮成型した木質バイオマスペレットとも呼ばれる小粒の固形燃料のこと。間伐材を使用する非化石燃料なので、地球温暖化対策にも良いと注目されています。

日本の植林は住宅の建材の需要があったので、スギやヒノキが植えられることが多いのですが、外国との価格競争で放置された林がたくさんあります。

地元の食材をもっと活用しよう!

地球にやさしい食べもの

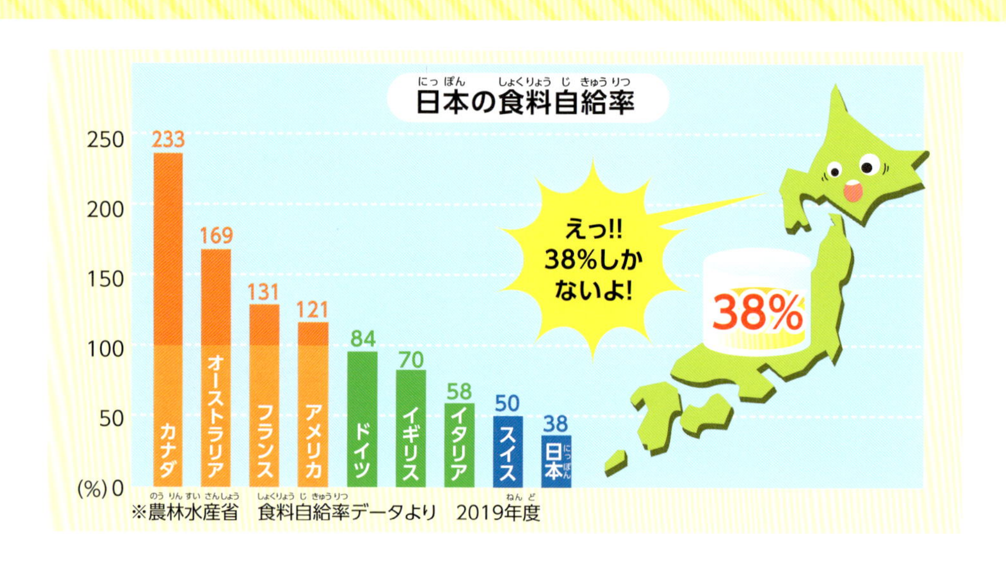

日本だけではご飯が食べられない?

日本では和食、洋食、中華などさまざまな料理を食べることができます。朝食はパン、昼食は麺、夕食はご飯と主食もいろいろ選べるし、肉や魚もさまざまな調理法で食べることができます。しかし、日本ですべての食料品を作っているわけではありません。農林水産省の令和元年のデータだと日本の食料自給率※は38%と先進国ではもっとも低いというデータが出ています。小麦や大豆はほぼ100%近くが輸入されたものです。牛肉もアメリカやオーストラリアからの輸入に頼っているのです。

ワンポイント講座

食料自給率/一つの国で消費される食料のうち、どの程度まで国内産でまかなわれているかを表す指標です。

地球NEWS 主要な穀物(米、麦、大豆など)の内、日本で自給が可能な食品は米のみです。

食料輸入国日本のフードマイレージ

食料の生産地から消費地までの距離を重さで計算した数字をフードマイレージといいます。日本の一人当たりの輸入食料フードマイレージは隣国の韓国やアメリカよりとても高くなっています。これは日本から離れているアメリカやオーストラリアから輸入するためで、当然輸送するために石油などのエネルギーを使っているからです。私たちの食生活が地球のエネルギーを利用していることを考えなければなりません。

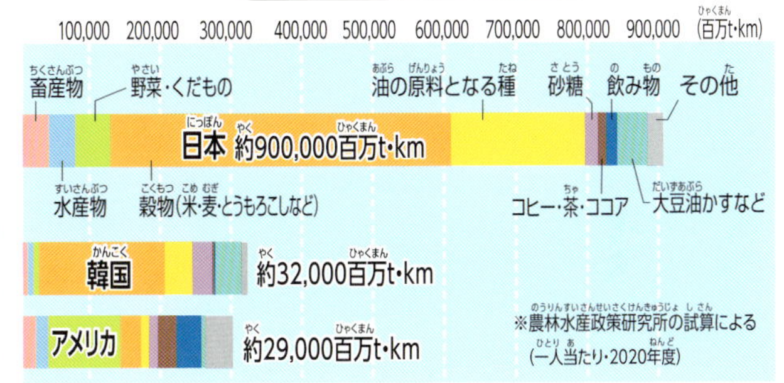

地産地消で地球にやさしい食生活

フードマイレージを下げるためにはなるべく国内で作られる食品を利用しなければなりません。そこで最近注目を集めているのが地産地消という考えです。地元の食材を使うことで、余計なフードマイレージを使わず、しかも地元のものだと輸送料などがあまりかからないので安く買うことが可能になるのです。スーパーなどでも地産地消コーナーの食品が人気です。農家でも流通を通さない直売所などに野菜を卸し、作った人と食べる人が直接交流することでもっと良いものを作ろうとはげみになっています。全国各地にある道の駅では、地元の特産品を販売しており、地域の活性化にもつながっています。

(写真提供・道の駅 真狩フラワーセンター)

スーパーはもちろん、道の駅では採れたての野菜やくだもの、魚など地域によってさまざまな旬の食材を割安で買うことができます

日本の食料自給率はだんだん下がってきていて、1960年と比べるとほぼ半分になっています。

第6章
みんなの努力で守る地球

地球に住む「人」としての責任を考えてみよう!

エコライフの意味を考えてみよう

環境と経済に関わるエコ

エコ(Eco)は、環境や生態学という意味の英語・エコロジー(Ecology)を短くした言葉で、エコノミー(Economy、経済または節約)という意味を兼ねることもあります。エコライフとは、地球への負担を少なくする生活スタイルのことです。これまで見てきたように、私たちは地球にいろいろな負担をかけています。それを少しでも取り除いてあげる生活をしようということです。地球の誕生は46億年前とされています。その長い歴史から考えると、人類の登場はつい最近のこと。人間がその地球環境を狂わせ始めたのは、実は長い歴史の「ほんの**数秒前※**」なのです。

23時59分46秒

CHECK! ワンポイント講座

数秒前/地球誕生の時を1年(365日)の1月1日にして換算してみると、類人猿からわかれた最初の猿人・サヘラントロプス・チャデンシス(約700万年前)が登場するのが、2月、3月・・10月、11月と過ぎ、12月31日大晦日の午前10時40分頃になります。西暦元年から2022年までが、残りの14秒の中にあり、近代科学がはじまる1800年は、最後の1秒の中にあります。

地球の歴史を365日に換算したら
西暦元年は、12月31日の23時59分46秒

地球の歴史・46億年を私たちの1年に換算すると、
12月31日の最後の1秒で地球を壊しているのと同じです。

このままだと地球から全ての資源が無くなってしまう

環境問題は、今や一国や先進国のみが気を付けるという小規模な対策では間に合わない状況となっています。世界全体で協力し、考えない限り解決は不可能なのです。現在は国際的に廃棄物の処理を監視し、管理をしています。にもかかわらず、自然環境は悪化し危機的な状況は続いています。資源は無限にあるわけではないのです。資源が枯渇してしまえば、私たちは生きることさえできなくなります。様々な物があふれる便利な生活に慣れてしまった今、全てを捨てることは難しいです。しかし、できることから始め、資源を有効活用し、私たちひとりひとりが環境破壊について考え、行動をしていかなければなりません。

具体的にはどういう対策をすればいいの？

現在では技術革新により、ごみの再資源化やクリーンエネルギーの活用が普及し始めています。車はガソリンを使わず、環境にやさしい電気自動車が実用化され、家電製品はLEDの登場など様々な省エネ化が進んでいます。こういった地球環境を破壊しないエコカーや電化製品へ買い替えたり、節電や節水、無駄なものは買わないといった行動が大切です。いきなり大きく生活を変えるのは難しいですが、小さいことでもコツコツと続けることが重要なのです。

© Tennen-Gas
世界中で50万台を販売している「日産リーフ」。現在では日本全国に約2万基の充電スポットが完備され、外出先でも手軽に充電ができる時代になっています。

近年「2050年までに二酸化炭素排出量実質ゼロ」を表明する地方公共団体を「ゼロカーボンシティ」と呼び、2021年には全国で357の地方公共団体が表明をしています。

第6章
みんなの努力で守る地球

電力を大切にし、暖房費の節約にもなります

暖房するときのちょっとした工夫

セーター1枚で暖房設定温度の2度ダウンが可能

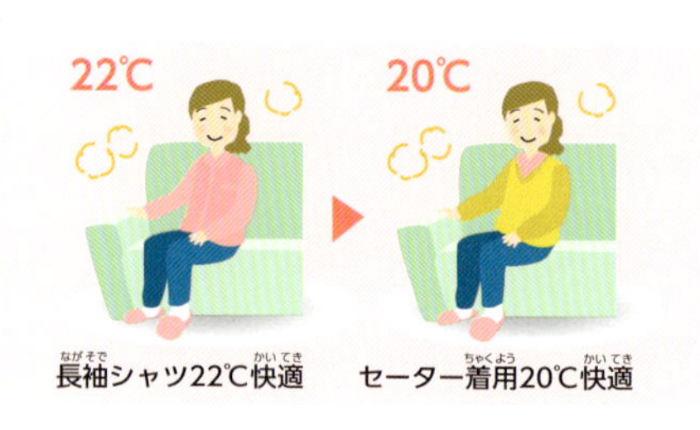

たとえば、長袖シャツとズボンのスタイルで快適な室温は22度前後ですが、長袖のセーターを1枚重ね着するだけで、室温が20度でも同じ快適性を保つことができます。

扇風機などで、室内の空気をかき混ぜよう

暖かい空気は部屋の上に、冷たい空気は部屋の下の方にたまります。これを扇風機やサーキュレーターを使ってかき混ぜれば、暖かい空気が下の方に降りてきます。足元が暖かくなり快適なことはもちろん、エアコンの設定温度ダウンにもつながり、暖房費も節約可能になります。

カーテンにもひと工夫

外気に接する冬場の窓面は冷やされることが多くなり、すき間風も入ってきます。カーテンの上下にすき間を作らないように、カーテンボックスをつけたり、カーテンを床までひきずるような長さにする工夫も大切です。

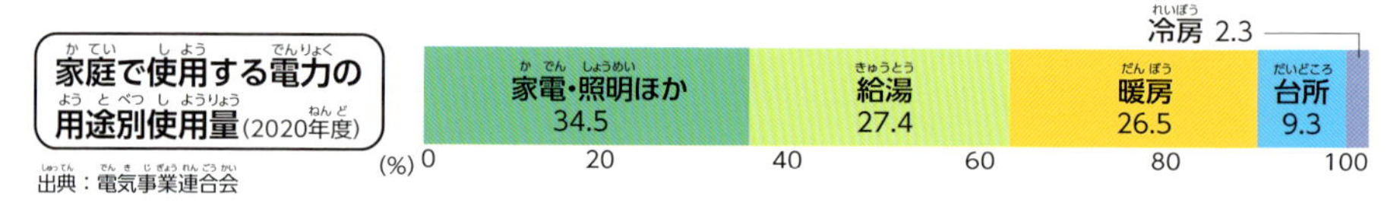

地球NEWS 近年の原油の高騰で、お湯を入れるだけで使える暖房器具の湯たんぽが人気を集めています。

冷房の使用を抑えて夏を乗り切ろう！

こんな工夫で変わる、「冷房」の仕方

軽装にすることで冷房温度を抑えよう

冬は1枚多く着れば暖かく過ごせるのと同じように、夏は1枚うすくすれば、涼しくなります。サラリーマンの場合は、スーツから半袖シャツにすれば、冷房設定温度に2度の差がでるといわれています。外を歩くときは紫外線など影響があるので長袖の服を着た方がよいですが、室内ではなるべく涼しく過ごせる服を着ることが大切です。

昔からある方法で「涼」を生みだそう

「風」があれば涼しく感じます。それは、風には汗を蒸発させる働きがあり、気化熱※で体の温度を下げるからです。エアコンと同時に扇風機を状況に合わせて使うことで、冷房温度をおさえることができます。また、風通しをよくするために窓をあけたり、日差しをさえぎるために植物やすだれの設置など昔からある涼を得る方法も試してみましょう。

ワンポイント講座

気化熱／液体の物質が気体になるときに周囲から吸収する熱のことです。つまり、汗をかいている体は、汗が気体になろうとするときに体から熱を奪うのです。

地球NEWS 近年は過酷な暑さが続く猛暑日になる地域が多く、高齢者が熱中症で死亡するケースが相次いでいるので気を付けて使用しましょう。

外の冷たい空気を入れないようにして、暖かい家に

「照明」のかしこい選択を考えてみよう

住宅からの熱が逃げやすい部分は、何といっても「窓」

一戸建て住宅の場合、室内の熱は外壁、天井・屋根、床、扉や窓から逃げていきます。なかでも、窓から逃げる熱がとっても多く、冬だと窓をふくむ開口部から58%の熱が逃げるといわれています。つまり、窓を工夫すると家の中が抜群に暖かくなるのです。

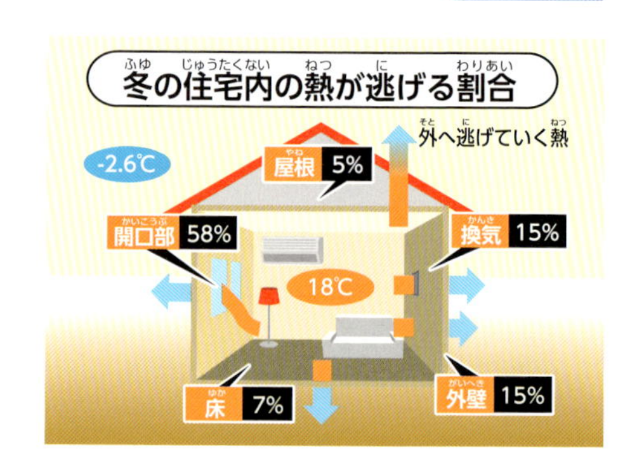

窓の断熱に効果的な「複層ガラス」や「Low-Eガラス」

普通のガラスに比べて熱の通りにくいガラスがあります。「複層ガラス」はスペーサーと呼ばれる金属の部材で、2枚の板ガラスの間に乾燥空気層というすき間を持たせたガラスです。これによって、室内の熱が簡単に窓から逃げないようにすることができます。「Low-Eガラス」の構造は複層ガラスと同じですが、ガラスの表面に特殊なコーティング処理をしているところが違います。これによって、太陽の熱を室内に取り入れやすくし、同時に室内の熱をガラスの表面で反射させて逃がさないようにするという働きがあります。

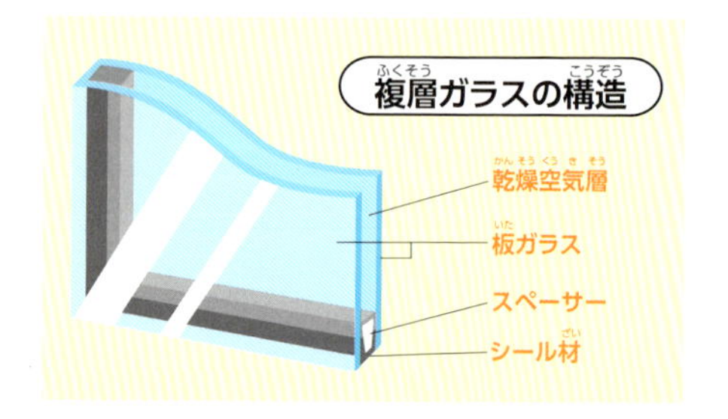

窓の断熱化にはカーテンはもちろん、お店で販売している断熱用のシートをサッシごとおおうようにテープなどで貼りつける方法もあります。

マイカー、バスなど身近な交通手段について考えてみよう

公共交通・自転車に乗ってエコでヘルシーな生活

ガソリンの使用量を減らす、クルマが増えてゆく

地球温暖化の要因となっている二酸化炭素。世界では、二酸化炭素を多く出す自動車が原因の一つとされています。そこで、電気モーターとガソリンエンジンを一緒に使うことでガソリンをあまり使わないで長距離を走れるハイブリッドカーが人気を集めています。また、**電気自動車**※や水素自動車などの新しい形の車の市販や開発も進められています。

ワンポイント講座

電気自動車／日本でも日産自動車や三菱自動車が電気自動車の一般販売を2010年に開始し、登録台数も年々増加しています。

公共交通機関や自転車を積極的に利用

バス、地下鉄、電車など公共交通機関は多くの人を一度に運ぶことができる、環境にやさしい移動手段です。たとえば50人の人がAからBという場所に行くのに、全員がマイカーを利用するのと、そのルートを走るバスに乗るのとではガソリンの使用量が大きく違います。また、二酸化炭素を全く排出しない自転車も省エネの交通手段です。国も使用を高めるため自転車専用道路の整備などの改善事業を進めています。

環境先進国のヨーロッパ諸国では積極的に公共交通を利用しています

イギリスでは混雑が激しい平日の日中に市街に車が入るときは、税金がかかる仕組みになっていて、環境にやさしい自動車の利用推進もあわせて進められています。

家庭でつくるお料理が健康作りに大切です

家庭の料理でもっとエコに健康に!

「買い物」「料理」「片づけ」の注目ポイント

「買い物」

「料理」

「片づけ」

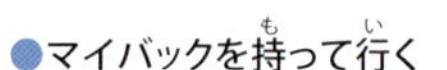

- マイバックを持って行く
- 必要なものであるかどうかをよく考えて買う
- 食材は旬のものを選ぶ

- 食材はまるごと使い、生ゴミを少なくする
- コンロの火は鍋の底の大きさに合わせて使うなど、エネルギーを上手に使う

- 水を大切に使うために「油汚れの食器は重ねない」「洗う前に汚れをふきとる」「ゆで汁を利用する」などの工夫をする

「買い物」、「料理」、「片づけ」を意識して料理を

私たちの生活で一番大切な「食」。人間が健康に成長するためには、栄養豊富な毎日の食事が欠かせません。家庭内で一緒に料理をしてみんなで食べることは、食の安全性はもちろん、食生活の乱れ（偏食、個食など）を防ぎ、家族の絆を深めるうえでも重要です。また、料理は食材を調理するだけではありません。当然、事前の買い物や調理後の後片付けも大切です。「買い物」、「料理」、「片づけ」を合わせて考えることはエネルギーの消費を抑えるので地球環境にやさしいのはもちろん、余計なお金を使わずにすみとてもお得です。また、自分たちの住む土地独自の料理などを本などで調べてみるのも良いでしょう。

地球NEWS

「食」に関する知識と「食」を選択する力を習得し、健全な食生活を実践できる人間を育てる教育である「食育」が今注目されています。

第6章
みんなの努力で守る地球

生分解性プラスチックとは

プラスチックから生分解性する製品へ

微生物の力で循環するプラスチック

プラスチックごみが世界的な問題となる中、これらを解決するカギになるのではと注目を集めているのが「生分解性プラスチック」です。生分解性とは、物質が自然環境の微生物の作用によって分解される性質を指します。つまり生分解性プラスチックとは、廃棄された後に微生物によって分解され、最終的に二酸化炭素と水になって循環していくプラスチックのこと。熱や光を受け、添加剤の作用で崩壊する酸化型分解性のプラスチックだと、プラスチックが部分的に残ってしまうため、完全に分解されたとはいえませんが、生分解性プラスチックは完全分解。自然に還っていくことができるため、プラスチックごみがごみではなくなるということです。

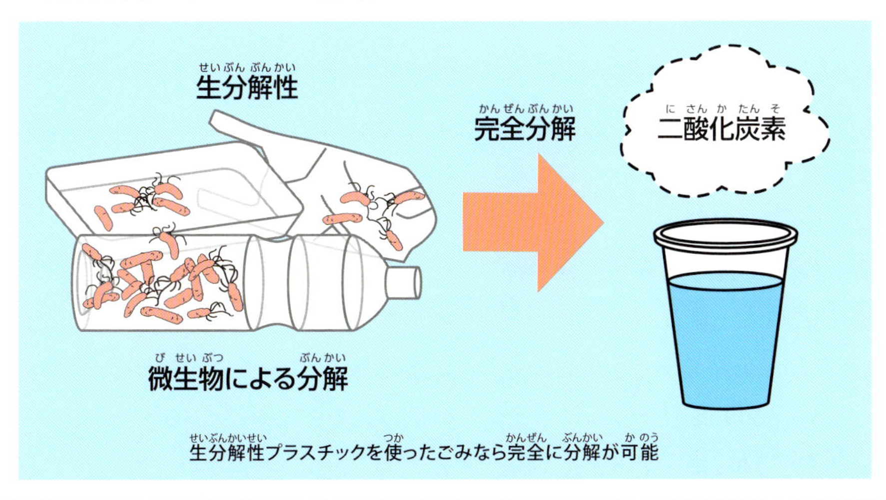

生分解性プラスチックを使ったごみなら完全に分解が可能

日本バイオプラスチック協会（JBPA）が、一般消費者への理解、製品の普及促進のため、生分解性プラ識別表示制度を設けています。

第6章 みんなの努力で守る地球

私たちの生活は自然の恵みで成り立っている

地球からの贈り物を大切にしよう

四季の自然に恵まれた日本

私たちは自然からたくさんの恵みを受け取っています。例えば、私たちの飲む水は山から流れてきた川の水を利用したものですし、水がなければ米や野菜なども作れません。山に生えている木から作った家や木炭、海や川で採れる新鮮な海産物など、私たちの生活はすべて自然に依存しているのです。直接的ではありませんが、春に咲く桜や秋の紅葉、鳥や虫の鳴き声なども日本の豊かな自然からの贈り物です。これから私たちは日本の未来のためにも自然を育て、守っていく必要があります。私たちは何ができるのか、学校や家で話し合い、地球にやさしく暮らすことが大切です。

地球NEWS 私たちが食べている米や牛、豚などはもともと野生の種でしたが、私たちの先祖が長い年月をかけて収穫量が多いものや味がよいものに改良してきました。

参考文献・参考サイト

・『図解でわかる14歳から知る気候変動』（太田出版）
・『やさしく解説地球温暖化2 温暖化の今・未来』（岩崎書店）
・『やさしく解説地球温暖化3地球温暖化はとめられる?』（岩崎書店）
・『みんなが知りたい！ 地球の資源とエネルギーのしくみ 利用の歴史から脱炭素社会のことまで』（メイツユニバーサルコンテンツ）
・『みんなが知りたい！ プラスチックと環境問題 開発の歴史から未来への対策までわかる本』（メイツユニバーサルコンテンツ）
・『みんなが知りたい！ 元素のすべて 世界を形づくる成分の種類と特徴がわかる』（メイツユニバーサルコンテンツ）
・内閣府HP
・文部科学省HP
・国土交通省HP
・経済産業省HP
・農林水産省HP
・気象庁HP
・海上保安庁HP
・東京水道局HP
・船橋市HP
・社団法人　日本水道協会HP
・東京ガス株式会社HP
・国際連合広報センターHP
・電気事業連合会HP
・食品安全委員会HP
・オークリッジ国立研究所HP
・電源開発株式会社HP
・環境展望台HP
・NASA HP
・FAO HP
・WFP HP
・IPCC HP
・IEA HP
・GWEC HP
・農業環境技術研究所HP
・世界史の窓HP
・flood mapsHP
・温室温暖化対策計画（令和3年10月22日閣議決定）
・日本国温室効果ガスインベントリ報告書2022年
・世界のCO2収支2020年版
・第6次酸性雨全国調査報告書2019
・世界森林資源評価2020
・ミレミアム生態系評価

あとがき

地球の大気は動くので、国境は関係ありません。だから二酸化炭素などの温室効果ガスを減らすには、地球全体で取り組まなければなりません。ある国が地球と将来の子どもたちのために、一生懸命お金をかけて排出を減らそうと努力しても、他の国がどんどん石油を燃やして安く物を作って輸出していたら不公平です。そのために、ルール作りをしているのが気候変動枠組条約です。

本書でもふれていますが、1997年12月、先進国は、二酸化炭素などの温室効果ガスを減らす具体的な数値目標を京都議定書で合意しました（2008～2012年の間に、1990年（基準年）に比べて、日本は－6%、EUは－8%。EUの中では、ドイツは－21%、イギリスは－12.5%）。ですが、実際の総排出量は基準年に比べ、日本では1.4%が増えてしまいました。これに対し、ドイツは23.6%の削減を達成、イギリスも23.1%の削減に成功しています。そのため日本は、超過してしまった分を外国から排出権という形でお金で購入しました。地球の平均気温の上昇を2℃に収めるために、2050年には、世界全体で50%、先進国は80%削減する必要があるとされています。現在、日本は、2020年までに25%削減する目標を掲げています。このままの生活を続けていると、もっと多額の費用をかけなければならないことになります。

たくさんの便利な物に囲まれている私たちの生活は、地球に負担をかけています。日曜日に車に乗ってショッピングセンターに行って買い物をするには、当然、ガソリンを使っています。それだけでなく、巨大な建物を建てるときにも資源とエネルギーを使っています。快適な空間にするためにエアコン、照明だってたくさん使っています。二酸化炭素はその分たくさん出ています。

家族みんなで歩いて商店街をぶらぶら回ってみたら、自転車で出かけたら、今まで気がつかなかった意外な楽しみが見つかるかもしれません。二酸化炭素排出を減らすのは、何かをがまんすることだけではありません。同じ買い物をするときに、より石油や電気を使わない方法を選ぶことによって、「うふふ。僕は地球を救っている『地救人』なんだ。」と楽しめば良いのです。両親や友達に広めたらもっとハイグレードな地救人になれます。皆が地救人になれば、二酸化炭素を減らすことができますね。

「自分にできることで青い地球を守る会」会員
弁護士　菅澤　紀生

監修 北原 義昭（きたはら よしあき）
コミュニケーション・デザイン研究所　心理カウンセラー
岡山大学工学部卒業後、出光興産（株）入社。心理学を応用した職場活性化プロジェクトで成功。
多くの企業・団体から講演・研修を依頼され、退職後は北海道保健看護大学校非常勤講師ほか。
「自分でできることで青い地球を守る会」発起人

監修 菅澤 紀生（すがさわ のりお）
弁護士　中央大学卒業。ルイス&クラーク・ロースクール環境法LLM（修士）修了。
日本弁護士連合会公害対策環境保全委員会、札幌弁護士会公害対策環境保全委員会所属。
北海道大学法科大学院非常勤講師（環境法持論）ほか。
「自分でできることで青い地球を守る会」会員

[　編　　集　]　相馬 彰太・魚住 有

[　　文　　]　相馬 彰太・魚住 有

[デザイン・イラスト]　安井 美穂子・斎藤 美歩・松井 美樹
玉川 智子・里見 遥・斎藤 武紀・笹村 明博

[　写真提供　]　NASA・JAXA（宇宙航空研究開発機構）・九州電力・
西目屋村・福井県農業試験場・道の駅真狩フラワーセンター・
海上保安庁・気象庁、NOAA/NESDIS・シン・エナジー・
UN Photo : Cia Pak・Tennen-Gas

[　制　　作　]　株式会社カルチャーランド

みんなが知りたい! 「地球のしくみ」と「環境問題」
地球で起きていることがわかる本 増補改訂版

2022年11月30日　第1版・第1刷発行

監　修　北原義昭・菅澤紀生（きたはら よしあき・すがさわ のりお）
発行者　株式会社メイツユニバーサルコンテンツ
代表者　大羽孝志
〒102-0093東京都千代田区平河町一丁目1-8
印　刷　株式会社厚徳社

◎「メイツ出版」は当社の商標です。

ご意見・ご感想はホームページから承っております。
ウェブサイト　https://www.mates-publishing.co.jp/

編集長：堀明研斗　企画担当：大羽孝志／千代 寧

※本書は2018年発行の『みんなが知りたい! 「地球のしくみ」と「環境問題」 地球で起きていることがわかる本』
を元に加筆・修正、装丁を変更し、「増補改訂版」として新たに発行したものです。